MY
VOCA
1800

Starter

MY VOCA 1800

다음은 교재 개발에 도움을 주신 분들입니다.

Students

강예은	박서연	송지민	이아림
권예진	박재민	신민곤	이준서
기유민	박정은	신정규	임수민
김경애	박하은	안준영	장은지
김우현	박한솔	오윤경	최민수
김은선	변유진	유지오	최송이
김창민	서보성	이란주	추혜성
김초은	성인현	이세영	홍진범

Teachers

강길연	김은경	윤혜선	최소영
곽서연	박해숙	이정란	허미진
김성희	오금윤	이혜리	
김영순	유지숙	최계숙	

영어 단어 외우기!
생각만 해도 어렵고 지겨운가요?

마음속의 두려움을 잠시 내려놓고,
하나하나 기초부터 시작한다면
어느새 여러분의
영어 단어 실력은 껑충 올라 있을 거예요.

이 책의 **3** 단계
학습법

Step 1 단어와 뜻 익히기

단어를 따라 쓰면서 철자와 우리말 뜻을 외워 보세요.

Step 2 예문 속 단어 익히기

예문의 빈칸을 채우면서 단어의 역할을 확인해 보세요.

Step 3 학습한 단어 확인하기

다양한 활동을 통해 앞 단계에서 공부한 단어와 예문을 다시 한 번 확인해 보세요.

Structure

이 책의 활용법

듣기 파일은 천재교육 홈페이지(www.chunjae.co.kr)와 QR코드로 확인하실 수 있습니다.

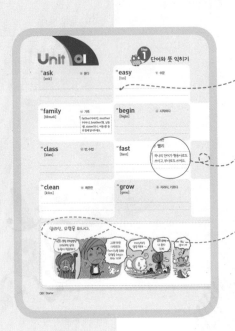

제시된 단어들을 따라 쓰면서 철자와 우리말 뜻을 학습합니다.

Tip을 통해 단어에 관한 다양한 관련 지식을 알아봅니다.

학습한 단어들이 사용된 만화를 읽으면서 단어를 재미있게 공부합니다.

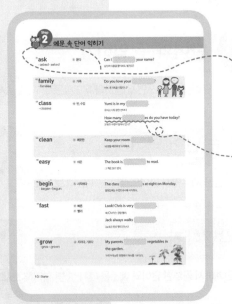

단어와 우리말 뜻, 동사의 변화형, 명사의 복수형까지 꼼꼼히 학습합니다.

예문의 빈칸을 채우면서 단어의 역할과 의미를 확인합니다.

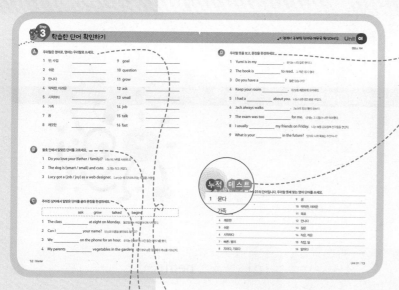

제시된 우리말 뜻을 보고, 문장을 완성합니다.

누적 테스트를 통해 앞 Unit에서 배운 단어까지 한 번에 확인합니다.

우리말은 영어로, 영어는 우리말로 쓰면서 단어의 철자와 우리말 뜻을 확인합니다.

괄호 안에서 문맥에 알맞은 단어를 골라 문장을 완성합니다.

주어진 상자에서 알맞은 단어를 골라 문장을 완성합니다.

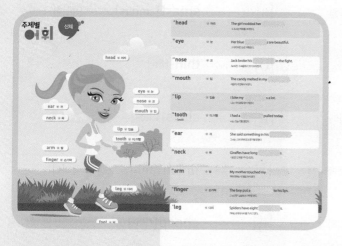

• 4개의 Unit마다 제시된 주제별 어휘를 통해 여러분의 단어 실력을 확장합니다.

자, 이제 공부를 시작해 볼까요?

발음기호

단어를 어떻게 읽는지 알아볼까요?

자음

[b]	ㅂ	boy[bɔi]	소년
[d]	ㄷ	desk[desk]	책상
[v]	ㅂ	vegetable[védʒətəbl] 채소	
[z]	ㅈ	zoo[zuː]	동물원
[ð]	ㄷ	weather[wéðər]	날씨
[g]	ㄱ	grow[grou]	자라다
[ʒ]	쥐	television[téləvìʒən] 텔레비전	
[dʒ]	쮜	join[dʒɔin]	가입하다
[h]	ㅎ	hill[hil]	언덕
[m]	ㅁ	meat[miːt]	고기
[l]	ㄹ	long[lɔːŋ]	긴

[p]	ㅍ	pen[pen]	펜
[t]	ㅌ	tall[tɔːl]	키가 큰
[f]	ㅍ/ㅎ	fox[fɑks]	여우
[s]	ㅅ	smart[smɑːrt]	영리한
[θ]	ㅆ	thin[θin]	마른
[k]	ㅋ	class[klæs]	반, 수업
[ʃ]	쉬	finish[fíniʃ]	끝나다
[tʃ]	취	cheap[tʃiːp]	(값이) 싼
[ŋ]	받침ㅇ	wrong[rɔːŋ]	나쁜, 잘못된
[n]	ㄴ	noon[nuːn]	정오
[r]	ㄹ	road[roud]	길

모음

[ɑ]	아	**drop**[drɑp]	떨어뜨리다	
[e]	에	**bread**[bred]	빵	
[i]	이	**kid**[kid]	아이	
[o]	오	**go**[gou]	가다	
[u]	우	**cook**[kuk]	요리하다	

[æ]	애	**rabbit**[rǽbit]	토끼	
[ʌ]	아+어	**puppy**[pʌ́pi]	강아지	
[ə]	어	**woman**[wúmən]	여자	
[ɔ]	아+오	**dog**[dɔːg]	개	
[ɛ]	에	**airport**[ɛ́ərpɔ̀ːrt]	공항	

장모음 길게 소리 나는 장모음은 발음 기호 옆에 ː를 붙여서 표시한다.

[ɑː]	아-	**father**[fɑ́ːðər]	아버지
[uː]	우-	**food**[fuːd]	음식

[iː]	이-	**east**[iːst]	동쪽
[əː]	어-	**bird**[bəːrd]	새

[j]/[w] 발음 모음 앞에 [j]가 붙으면 '야, 여, 유', [w]가 붙으면 '와, 위, 웨' 같이 발음된다.

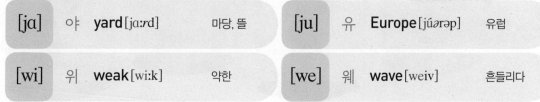

[jɑ]	야	**yard**[jɑːrd]	마당, 뜰
[wi]	위	**weak**[wiːk]	약한

[ju]	유	**Europe**[júərəp]	유럽
[we]	웨	**wave**[weiv]	흔들리다

품사

명사 noun	• 사람, 사물, 장소 등의 이름을 나타내는 단어 • 주어, 목적어, 보어 역할
	cup (컵), Korea (대한민국), love (사랑), water (물) …

대명사 pronoun	• 사람이나 사물 등의 이름을 대신하는 단어 • 주어, 목적어, 보어 역할
	this (이것), it (그것), you (너), we (우리) …

동사 verb	• 주어의 동작이나 상태를 나타내는 단어
	be동사 (…이다), go (가다), eat (먹다) …

형용사 adjective	• 사람이나 사물의 성질, 상태, 모양 등을 나타내는 단어 • 명사를 꾸며주거나 보어 역할
	pretty (귀여운), tall (키가 큰), quiet (조용한) …

 주머니 속 단어를 읽어 보세요.

Canada	my	help	are	beautiful	short
that	my	sugar	help	house	are	our	know	nice

명사
Canada
sugar
house

대명사
my
that
our

동사
help
are
know

형용사
beautiful
short
nice

부사 adverb	• 장소, 시간, 정도, 빈도 등을 나타내는 단어 • 동사, 형용사, 다른 부사 등을 꾸밈 there (거기에), now (지금), fast (빠르게), often (종종) …
전치사 preposition	• 명사 앞에서 시간, 장소, 방향 등을 나타내는 단어 at 11 (11시에), in London (런던에서), to the park (공원으로) …
접속사 conjunction	• 단어와 단어, 구와 구, 절과 절을 연결하는 단어 and (…와), but (하지만), because (… 때문에) …
감탄사 interjection	• 놀람, 슬픔, 기쁨 등의 감정을 나타내는 단어 wow (와), oh (오), oops (아이쿠) …

 문장 속 단어의 품사를 확인해 보세요.

1 Eric and his brother live in Seoul.

명사	대명사	동사	명사
접속사	명사	전치사	

2 Oh, your sister is really smart!

감탄사	명사	부사
대명사	동사	형용사

Unit 01

01 ask
[æsk]
동 묻다

05 easy
[íːzi]
형 쉬운

02 family
[fǽməli]
명 가족

> father(아버지), mother(어머니), brother(형, 남동생), sister(언니, 여동생) 등과 함께 알아두세요.

06 begin
[bigín]
동 시작하다

03 class
[klæs]
명 반, 수업

07 fast
[fæst]
형 빠른
부 빨리

> 하나의 단어가 형용사로도 쓰이고, 부사로도 쓰여요.

04 clean
[kliːn]
형 깨끗한

08 grow
[grou]
동 자라다, 기르다

알라딘, 모험을 떠나다.

↙ 단어를 쓰며 철자와 뜻을 외우세요.

09 dream
[dri:m]
명 꿈

13 question
[kwéstʃən]
명 질문

10 hard
[hɑːrd]
형 딱딱한, 어려운

14 small
[smɔːl]
형 작은, 적은

11 goal
[goul]
명 목표

15 job
[dʒɑb]
명 직업, 일

teacher(교사), doctor
(의사) 등이 job(직업)에
속해요.

12 meet
[miːt]
동 만나다

16 talk
[tɔːk]
동 말하다

01 ask
- asked - asked

동 묻다

Can I ⬚⬚⬚ your name?

당신의 이름을 물어봐도 될까요?

02 family
- families

명 가족

Do you love your ⬚⬚⬚?

너는 네 가족을 사랑하니?

03 class
- classes

명 반, 수업

Yumi is in my ⬚⬚⬚.

유미는 나와 같은 반이다.

How many ⬚⬚⬚es do you have today?

오늘은 수업이 얼마나 있니?

04 clean

형 깨끗한

Keep your room ⬚⬚⬚.

네 방을 깨끗하게 유지해라.

05 easy

형 쉬운

The book is ⬚⬚⬚ to read.

그 책은 읽기 쉽다.

06 begin
- began - begun

동 시작하다

The class ⬚⬚⬚s at eight on Monday.

월요일에는 수업이 8시에 시작한다.

07 fast

형 빠른
부 빨리

Look! Chris is very ⬚⬚⬚.

봬! Chris는 정말 빨라.

Jack always walks ⬚⬚⬚.

Jack은 항상 빨리 걷는다.

08 grow
- grew - grown

동 자라다, 기르다

My parents ⬚⬚⬚ vegetables in the garden.

우리 부모님은 정원에서 채소를 기르신다.

09 dream　명 꿈

I had a _____ about you.
나는 너에 대한 꿈을 꾸었다.

10 hard　형 딱딱한, 어려운

This bed is _____.
이 침대는 딱딱하다.

The exam was too _____ for me.
내게는 그 시험이 너무 어려웠다.

11 goal　명 목표

What is your _____ in the future?
앞으로 너의 목표는 무엇이니?

12 meet
- met - met　동 만나다

I usually _____ my friends on Friday.
나는 보통 금요일에 친구들을 만난다.

13 question　명 질문

Do you have a _____?
질문 있습니까?

14 small　형 작은, 적은

The dog is _____ and cute.
그 개는 작고 귀엽다.

15 job　명 직업, 일

Lucy got a _____ as a web designer.
Lucy는 웹 디자이너라는 직업을 가졌다.

The workers finished the _____ on time.
작업자들은 그 일을 제시간에 끝냈다.

16 talk
- talked - talked　동 말하다

We _____ed on the phone for an hour.
우리는 전화로 한 시간 동안 이야기를 했다.

A 우리말은 영어로, 영어는 우리말로 쓰세요.

1 반, 수업	_____	9 goal	_____
2 쉬운	_____	10 question	_____
3 만나다	_____	11 grow	_____
4 딱딱한, 어려운	_____	12 ask	_____
5 시작하다	_____	13 small	_____
6 가족	_____	14 job	_____
7 꿈	_____	15 talk	_____
8 깨끗한	_____	16 fast	_____

B 괄호 안에서 알맞은 단어를 고르세요.

1 Do you love your (father / family)? 너는 네 가족을 사랑하니?

2 The dog is (smart / small) and cute. 그 개는 작고 귀엽다.

3 Lucy got a (job / joy) as a web designer. Lucy는 웹 디자이너라는 직업을 가졌다.

C 주어진 상자에서 알맞은 단어를 골라 문장을 완성하세요.

ask grow talked begins

1 The class _____ at eight on Monday. 월요일에는 수업이 8시에 시작한다.

2 Can I _____ your name? 당신의 이름을 물어봐도 될까요?

3 We _____ on the phone for an hour. 우리는 전화로 한 시간 동안 이야기를 했다.

4 My parents _____ vegetables in the garden. 우리 부모님은 정원에서 채소를 기르신다.

정답 p. 164

D 우리말 뜻을 보고, 문장을 완성하세요.

1 Yumi is in my _____. 유미는 나와 같은 반이다.

2 The book is _____ to read. 그 책은 읽기 쉽다.

3 Do you have a _____? 질문 있습니까?

4 Keep your room _____. 네 방을 깨끗하게 유지해라.

5 I had a _____ about you. 나는 너에 대한 꿈을 꾸었다.

6 Jack always walks _____. Jack은 항상 빨리 걷는다.

7 The exam was too _____ for me. 내게는 그 시험이 너무 어려웠다.

8 I usually _____ my friends on Friday. 나는 보통 금요일에 친구들을 만난다.

9 What is your _____ in the future? 앞으로 너의 목표는 무엇이니?

누적 테스트 Unit 01의 단어입니다. 우리말 뜻에 맞는 영어 단어를 쓰세요.

1 묻다		**9** 꿈	
2 가족		**10** 딱딱한, 어려운	
3 반, 수업		**11** 목표	
4 깨끗한		**12** 만나다	
5 쉬운		**13** 질문	
6 시작하다		**14** 작은, 적은	
7 빠른; 빨리		**15** 직업, 일	
8 자라다, 기르다		**16** 말하다	

Unit 02

⁰¹ animal
[ǽnəməl]
® 동물

> dog(개), cat(고양이), pig(돼지) 등이 animal (동물)에 속해요.

⁰⁵ dry
[drai]
® 마른, 건조한

⁰² busy
[bízi]
® 바쁜

⁰⁶ eat
[iːt]
® 먹다

⁰³ happy
[hǽpi]
® 행복한

⁰⁷ friend
[frend]
® 친구

> best friend는 '가장 친한 친구'라는 뜻이에요.

⁰⁴ like
[laik]
® 좋아하다

⁰⁸ cold
[kould]
® 추운, 차가운

용감한 모험가도 배가 고프다.

눈물을 달라고 말하면 용이 들어줄까?
글쎄...

정말 배고파. 뭐라도 eat하고 싶어.

맛있는 치킨을 먹으면 정말 happy 할 것 같다.

✎ 단어를 쓰며 철자와 뜻을 외우세요.

⁰⁹hear
[hiə*r*]
⑧ 듣다

¹³read
[ri:d]
⑧ 읽다

¹⁰join
[dʒɔin]
⑧ 가입하다, 함께 하다

¹⁴short
[ʃɔ:rt]
⑧ 짧은

> short의 sh [ʃ]는 우리
> 말의 '쉬'와 비슷한 소리
> 가 나요.

¹¹dark
[dɑ:rk]
⑧ 어두운

¹⁵open
[óupən]
⑧ 열다
⑧ 열린

¹²move
[mu:v]
⑧ 움직이다

¹⁶word
[wə:rd]
⑧ 단어, 말

예문 속 단어 익히기

01 animal   몡 동물

A rabbit is an   with long ears.

토끼는 귀가 긴 동물이다.

02 busy   혱 바쁜

I'm   with my homework now.

나는 지금 숙제하느라 바쁘다.

03 happy   혱 행복한

You look   today.

너는 오늘 행복해 보인다.

04 like
- liked - liked   동 좋아하다

Do you   comic books?

너는 만화책을 좋아하니?

05 dry   혱 마른, 건조한

My skin is   in winter.

내 피부는 겨울에 건조하다.

06 eat
- ate - eaten   동 먹다

Don't   fast food too often.

패스트푸드를 너무 자주 먹지 마라.

07 friend   몡 친구

Who is your best   ?

너의 가장 친한 친구는 누구니?

08 cold   혱 추운, 차가운

Today is very   .

오늘은 매우 춥다.

Why is he so   to me?

그는 왜 내게 그렇게 차갑게 굴지?

09 hear
- heard - heard

동 듣다

I can't _____ you.
Please speak up!

네 목소리가 안 들려. 크게 말해 줘!

---

10 join
- joined - joined

동 가입하다, 함께 하다

She _____ ed a soccer team.

그녀는 축구팀에 가입했다.

Eric _____ ed us for dinner.

Eric은 우리와 함께 저녁을 먹었다.

---

11 dark

형 어두운

It's getting _____ outside.

밖이 어두워지고 있다.

---

12 move
- moved - moved

동 움직이다

The boy _____ d very fast.

그 소년은 매우 빠르게 움직였다.

---

13 read
- read - read

동 읽다

Did you _____ the book
Charlotte's Web?

너는 '샬롯의 거미줄'이라는 책을 읽었니?

---

14 short

형 짧은

The girl has _____ hair.

그 소녀는 머리가 짧다.

---

15 open
- opened - opened

동 열다
형 열린

_____ the door, please.

문을 열어 주세요.

The restaurant is _____ every day.

그 식당은 매일 문을 연다.

---

16 word

명 단어, 말

What's the Korean _____ for "open"?

'open'을 나타내는 한국어 단어는 무엇이니?

A 우리말은 영어로, 영어는 우리말로 쓰세요.

1	먹다	_____	9	busy	_____
2	동물	_____	10	move	_____
3	읽다	_____	11	hear	_____
4	좋아하다	_____	12	dark	_____
5	친구	_____	13	join	_____
6	짧은	_____	14	open	_____
7	단어, 말	_____	15	cold	_____
8	행복한	_____	16	dry	_____

B 괄호 안에서 알맞은 단어를 고르세요.

1 Do you (like / take) comic books? 너는 만화책을 좋아하니?

2 What's the Korean (word / world) for "open"? 'open'을 나타내는 한국어 단어는 무엇이니?

3 I can't (heal / hear) you. Please speak up! 네 목소리가 안 들려. 크게 말해 줘!

C 주어진 상자에서 알맞은 단어를 골라 문장을 완성하세요.

animal	dark	eat	busy

1 Don't _____ fast food too often. 패스트푸드를 너무 자주 먹지 마라.

2 It's getting _____ outside. 밖이 어두워지고 있다.

3 A rabbit is an _____ with long ears. 토끼는 귀가 긴 동물이다.

4 I'm _____ with my homework now. 나는 지금 숙제하느라 바쁘다.

정답 p. 164

D 우리말 뜻을 보고, 문장을 완성하세요.

1 You look ＿＿＿＿＿＿ today. 너는 오늘 행복해 보인다.

2 Who is your best ＿＿＿＿＿＿? 너의 가장 친한 친구는 누구니?

3 Today is very ＿＿＿＿＿＿. 오늘은 매우 춥다.

4 The girl has ＿＿＿＿＿＿ hair. 그 소녀는 머리가 짧다.

5 The boy ＿＿＿＿＿＿ very fast. 그 소년은 매우 빠르게 움직였다.

6 My skin is ＿＿＿＿＿＿ in winter. 내 피부는 겨울에 건조하다.

7 The restaurant is ＿＿＿＿＿＿ every day. 그 식당은 매일 문을 연다.

8 Eric ＿＿＿＿＿＿ us for dinner. Eric은 우리와 함께 저녁을 먹었다.

9 Did you ＿＿＿＿＿＿ the book *Charlotte's Web*? 너는 '샬롯의 거미줄'이라는 책을 읽었니?

누적 테스트 Unit 01~02의 주요 단어입니다. 우리말 뜻에 맞는 영어 단어를 쓰세요.

1	묻다	9	동물
2	가족	10	바쁜
3	시작하다	11	먹다
4	자라다, 기르다	12	추운, 차가운
5	꿈	13	듣다
6	목표	14	움직이다
7	만나다	15	읽다
8	질문	16	짧은

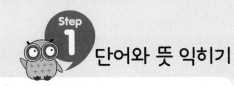
01 adult [ədʌ́lt] 　명 어른

05 gate [geit] 　명 문, 입구

02 bank [bæŋk] 　명 은행

06 hour [auər] 　명 한 시간, 시간

03 call [kɔːl] 　동 부르다, 전화하다

07 knife [naif] 　명 칼

> hour의 h, knife의 k는 소리 나지 않아요.

04 water [wɔ́ːtər] 　명 물

08 study [stʌ́di] 　동 공부하다

모험의 첫날밤! 힘들다, 힘들어.

✍ 단어를 쓰며 철자와 뜻을 외우세요.

⁰⁹buy
[bai]
⑧ 사다

¹³say
[sei]
⑧ 말하다

---

¹⁰club
[klʌb]
⑲ 클럽, 동호회

> join a club은 '클럽에 가입하다'라는 의미를 나타내요.

¹⁴stop
[stɑp]
⑧ 그만두다, 멈추다

---

¹¹cook
[kuk]
⑧ 요리하다
⑲ 요리사

¹⁵rich
[ritʃ]
⑱ 부유한

---

¹²safe
[seif]
⑱ 안전한

¹⁶walk
[wɔːk]
⑧ 걷다
⑲ 산책

> walk의 l은 소리 나지 않아요.

01 adult 　명 어른

Kids must come with an _____.

아이들은 어른과 함께 와야 한다.

02 bank 　명 은행

Do you keep your money in
the _____?

너는 돈을 은행에 넣어 두니?

03 call
- called - called
　동 부르다, 전화하다

Someone _____ed my name.

누군가 내 이름을 불렀다.

_____ me when you get home.

집에 도착하면 내게 전화해.

04 water 　명 물

Give me some cold _____.

나에게 차가운 물을 좀 주세요.

05 gate 　명 문, 입구

Keep the _____ open.

문을 열어 놓아라.

06 hour 　명 한 시간, 시간

An _____ has sixty minutes.

한 시간은 60분이다.

07 knife
- knives
　명 칼

Don't play with a _____!

칼을 가지고 놀지 마라!

08 study
- studied - studied
　동 공부하다

I _____ English every day.

나는 매일 영어를 공부한다.

09 **buy**
- bought - bought

(동) 사다

I want to [_____] a new smartphone.

나는 새 스마트폰을 사고 싶다.

10 **club**

(명) 클럽, 동호회

Which [_____] will you join?

너는 어느 클럽에 가입할 거니?

11 **cook**
- cooked - cooked

(동) 요리하다
(명) 요리사

I [_____]ed dinner for my parents.

나는 부모님을 위해 저녁을 요리했다.

She worked as a [_____] in a hotel.

그녀는 호텔에서 요리사로 일했다.

12 **safe**

(형) 안전한

Don't worry. You are [_____] now.

걱정하지 마. 너는 이제 안전해.

13 **say**
- said - said

(동) 말하다

불규칙 과거형으로 쓰세요.

Anne [_____], "I'm tired."

Anne은 "난 피곤해."라고 말했다.

14 **stop**
- stopped - stopped

(동) 그만두다, 멈추다

The girl [_____]ped crying.

그 소녀는 우는 것을 멈췄다.

15 **rich**

(형) 부유한

The [_____] man bought a big house.

그 부유한 남자는 큰 집을 샀다.

16 **walk**
- walked - walked

(동) 걷다
(명) 산책

I [_____]ed to school yesterday.

나는 어제 학교에 걸어갔다.

Let's take a [_____] in the park.

공원에서 산책하자.

A 우리말은 영어로, 영어는 우리말로 쓰세요.

1 어른 _____

2 요리하다; 요리사 _____

3 한 시간, 시간 _____

4 칼 _____

5 안전한 _____

6 말하다 _____

7 공부하다 _____

8 클럽, 동호회 _____

9 buy _____

10 rich _____

11 call _____

12 bank _____

13 stop _____

14 gate _____

15 walk _____

16 water _____

B 괄호 안에서 알맞은 단어를 고르세요.

1 The girl (stopped / stayed) crying. 그 소녀는 우는 것을 멈췄다.

2 A(n) (year / hour) has sixty minutes. 한 시간은 60분이다.

3 I (cooked / cooled) dinner for my parents. 나는 부모님을 위해 저녁을 요리했다.

C 주어진 상자에서 알맞은 단어를 골라 문장을 완성하세요.

| water knife gate walk |

1 Keep the _____ open. 문을 열어 놓아라.

2 Let's take a _____ in the park. 공원에서 산책하자.

3 Give me some cold _____ . 나에게 차가운 물을 좀 주세요.

4 Don't play with a _____ ! 칼을 가지고 놀지 마라!

정답 p. 164

D 우리말 뜻을 보고, 문장을 완성하세요.

1 Anne _____, "I'm tired." Anne은 "난 피곤해."라고 **말했다**.

2 Someone _____ my name. 누군가 내 이름을 **불렀다**.

3 I _____ English every day. 나는 매일 영어를 **공부한다**.

4 Which _____ will you join? 너는 어느 **클럽**에 가입할 거니?

5 I want to _____ a new smartphone. 나는 새 스마트폰을 **사고** 싶다.

6 Kids must come with an _____. 아이들은 **어른**과 함께 와야 한다.

7 Don't worry. You are _____ now. 걱정하지 마. 너는 이제 **안전해**.

8 Do you keep your money in the _____? 너는 돈을 **은행**에 넣어 두니?

9 The _____ man _____ a big house. 그 **부유한** 남자는 큰 집을 **샀다**.

누적 테스트 Unit 02~03의 주요 단어입니다. 우리말 뜻에 맞는 영어 단어를 쓰세요.

1	행복한	9	은행
2	좋아하다	10	부르다, 전화하다
3	마른, 건조한	11	한 시간, 시간
4	친구	12	공부하다
5	가입하다, 함께 하다	13	사다
6	어두운	14	요리하다; 요리사
7	열다; 열린	15	안전한
8	단어, 말	16	말하다

Unit 04

01 bake [beik]
동 (빵 등을) 굽다

02 dance [dæns]
동 춤추다
명 춤

03 doctor [dáktər]
명 의사

04 fruit [fru:t]
명 과일

> banana(바나나), apple
> (사과), orange(오렌지)
> 등이 fruit(과일)에 속해요.

05 fall [fɔːl]
동 떨어지다

06 food [fu:d]
명 음식

> bread(빵), meat(고기),
> vegetable(채소) 등이
> food(음식)에 속해요.

07 oil [ɔil]
명 기름, 석유

08 tower [táuər]
명 탑

오늘도 힘차게 Go!

단어를 쓰며 철자와 뜻을 외우세요.

09 hit
[hit]

동 치다, 때리다

13 coin
[kɔin]

명 동전

'지폐'는 bill이라고
써요.

10 lunch
[lʌntʃ]

명 점심 (식사)

14 rise
[raiz]

동 뜨다, 오르다

11 letter
[létər]

명 편지

15 sand
[sænd]

명 모래, 모래사장

12 meat
[miːt]

명 고기

meet(만나다)와 소
리가 같아요.

16 story
[stɔ́ːri]

명 이야기

01 bake (동) (빵 등을) 굽다
- baked - baked

I [____]d some bread and cookies.

나는 빵과 쿠키를 좀 구웠다.

02 dance (동) 춤추다 (명) 춤
- danced - danced

He likes to sing and [____].

그는 노래하고 춤추는 것을 좋아한다.

I want to learn jazz [____].

나는 재즈 댄스를 배우고 싶다.

03 doctor (명) 의사

The [____] is very kind.

그 의사는 매우 친절하다.

04 fruit (명) 과일

[____] and vegetables are good for you.

과일과 채소는 너에게 좋다.

05 fall (동) 떨어지다
- fell - fallen

Did the child [____] off his bicycle?

그 아이는 자전거에서 떨어졌니?

06 food (명) 음식

Chris often eats Korean [____].

Chris는 종종 한국 음식을 먹는다.

07 oil (명) 기름, 석유

Put some [____] in the pan.

팬에 기름을 좀 넣어라.

08 tower (명) 탑

대문자로 시작하세요

At last, I saw the [____] of London.

마침내, 나는 런던 탑을 보았다.

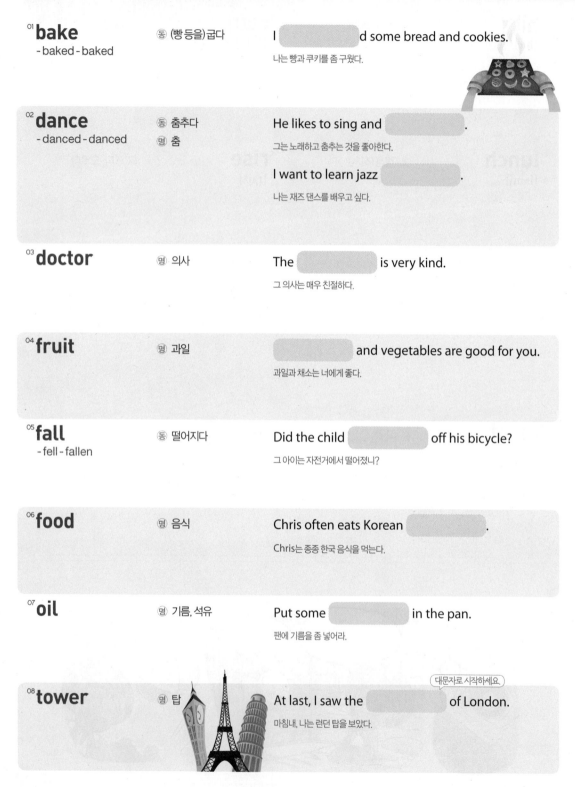

09 hit
- hit - hit

동 치다, 때리다

불규칙 과거형으로 쓰세요.

She _____ the ball with a bat.

그녀는 방망이로 공을 쳤다.

10 lunch

명 점심(식사)

I eat _____ with my classmates.

나는 반 친구들과 점심을 먹는다.

11 letter

명 편지

I wrote a _____ to my grandmother.

나는 할머니께 편지를 썼다.

12 meat

명 고기

The man cooked some _____ for dinner.

그 남자는 저녁 식사로 고기를 요리했다.

13 coin

명 동전

My son saves _____s in a piggy bank.

내 아들은 돼지 저금통에 동전들을 모은다.

14 rise
- rose - risen

동 뜨다, 오르다

The sun _____s in the east.

태양은 동쪽에서 뜬다.

불규칙 과거형으로 쓰세요.

Smoke _____ into the air.

연기가 공중으로 올라갔다.

15 sand

명 모래, 모래사장

The children were playing in the _____.

아이들은 모래사장에서 놀고 있었다.

16 story
- stories

명 이야기

What a sad _____!

정말 슬픈 이야기구나!

A 우리말은 영어로, 영어는 우리말로 쓰세요.

1 과일 _____

2 고기 _____

3 기름, 석유 _____

4 동전 _____

5 춤추다; 춤 _____

6 점심 (식사) _____

7 음식 _____

8 모래, 모래사장 _____

9 doctor _____

10 tower _____

11 letter _____

12 bake _____

13 fall _____

14 hit _____

15 rise _____

16 story _____

B 괄호 안에서 알맞은 단어를 고르세요.

1 What a sad (store / story)! 정말 슬픈 이야기구나!

2 Put some (oil / onion) in the pan. 팬에 기름을 좀 넣어라.

3 The man cooked some (meat / meal) for dinner. 그 남자는 저녁 식사로 고기를 요리했다.

C 주어진 상자에서 알맞은 단어를 골라 문장을 완성하세요.

rises	baked	hit	fall

1 I _____ some bread and cookies. 나는 빵과 쿠키를 좀 구웠다.

2 She _____ the ball with a bat. 그녀는 방망이로 공을 쳤다.

3 The sun _____ in the east. 태양은 동쪽에서 뜬다.

4 Did the child _____ off his bicycle? 그 아이는 자전거에서 떨어졌니?

정답 p. 165

D 우리말 뜻을 보고, 문장을 완성하세요.

1 The _____ is very kind. 그 의사는 매우 친절하다.

2 I eat _____ with my classmates. 나는 반 친구들과 점심을 먹는다.

3 He likes to sing and _____. 그는 노래하고 **춤추는** 것을 좋아한다.

4 Chris often eats Korean _____. Chris는 종종 한국 음식을 먹는다.

5 At last, I saw the _____ of London. 마침내, 나는 런던 **탑**을 보았다.

6 I wrote a _____ to my grandmother. 나는 할머니께 편지를 썼다.

7 _____ and vegetables are good for you. 과일과 채소는 너에게 좋다.

8 The children were playing in the _____. 아이들은 모래사장에서 놀고 있었다.

9 My son saves _____ in a piggy bank. 내 아들은 돼지 저금통에 **동전들**을 모은다.

누적 테스트 Unit 03~04의 주요 단어입니다. 우리말 뜻에 맞는 영어 단어를 쓰세요.

1	어른	9	춤추다; 춤
2	물	10	과일
3	문, 입구	11	떨어지다
4	칼	12	탑
5	클럽, 동호회	13	치다, 때리다
6	그만두다, 멈추다	14	고기
7	부유한	15	뜨다, 오르다
8	걷다; 산책	16	이야기

head 몡 머리

eye 몡 눈

nose 몡 코

mouth 몡 입

ear 몡 귀

neck 몡 목

lip 몡 입술

tooth 몡 이,이빨

arm 몡 팔

finger 몡 손가락

leg 몡 다리

foot 몡 발

01 **head**	명 머리	The girl nodded her _____.
		그 소녀는 머리를 끄덕였다.
02 **eye**	명 눈	Her blue _____s are beautiful.
		그녀의 파란 눈은 아름답다.
03 **nose**	명 코	Jack broke his _____ in the fight.
		Jack은 그 싸움에서 코가 부러졌다.
04 **mouth**	명 입	The candy melted in my _____.
		사탕이 내 입에서 녹았다.
05 **lip**	명 입술	I bite my _____s a lot.
		나는 내 입술을 많이 깨문다.
06 **tooth** - teeth	명 이, 이빨	I had a _____ pulled today.
		나는 오늘 이를 뽑았다.
07 **ear**	명 귀	She said something in his _____.
		그녀는 그의 귀에 대고 뭔가를 말했다.
08 **neck**	명 목	Giraffes have long _____s.
		기린은 긴 목을 가지고 있다.
09 **arm**	명 팔	My mother touched my _____.
		우리 엄마는 내 팔을 만지셨다.
10 **finger**	명 손가락	The boy put a _____ to his lips.
		그 소년은 입술에 손가락을 댔다.
11 **leg**	명 다리	Spiders have eight _____s.
		거미는 8개의 다리를 가지고 있다.
12 **foot** - feet	명 발	Someone stepped on my _____.
		누군가가 내 발을 밟았다.

01 basketball 　명 농구
[bǽskitbɔ̀ːl]

05 daughter 　명 딸
[dɔ́ːtər]

> daughter에서 gh는 소리 나지 않아요.

02 soccer 　명 축구
[sάkər]

06 east 　명 동쪽
[iːst]

03 score 　명 점수, 득점
[skɔːr]

07 face 　명 얼굴
[feis]

04 city 　명 도시
[síti]

> Seoul(서울), New York(뉴욕), London(런던) 등이 city(도시)에 속해요.

08 hand 　명 손
[hænd] 　동 건네주다

지니를 만나다.

여기서 조금만 더 east로 가면 아주 큰 city가 잇대.

빨리 가자. 도시에서는 여러 정보를 알 수 있을 거야.

응? 넌 누구야?

이 근처에서 뭣보던 face 인데?

난 웅을 찾으러 다니고 잇어.

⁰⁹**sister**
[sístər]

명 언니, 누나, 여동생

> '형, 오빠, 남동생'은
> brother라고 써요.

¹³**race**
[reis]

명 경주, 레이스

¹⁰**jump**
[dʒʌmp]

동 뛰다, 뛰어넘다

¹⁴**heat**
[hiːt]

명 열
동 데우다

¹¹**bike**
[baik]

명 자전거

> bicycle이라고도 써요.

¹⁵**angel**
[éindʒəl]

명 천사

¹²**pretty**
[príti]

형 예쁜, 귀여운

¹⁶**week**
[wiːk]

명 주, 일주일

01 basketball 　명 농구

My favorite sport is _____.

내가 가장 좋아하는 운동은 농구이다.

02 soccer 　명 축구

Let's play _____ on the playground.

운동장에서 축구하자.

03 score 　명 점수, 득점

What's the _____ now?

지금 점수가 어떻게 되지?

04 city 　명 도시
- cities

New York is a big _____.

뉴욕은 대도시이다.

05 daughter 　명 딸

Mr. White has two _____s.

White 씨에게는 두 명의 딸이 있다.

06 east 　명 동쪽

Which way is _____?

어느 길이 동쪽이니?

07 face 　명 얼굴

Jacky has a round _____.

Jacky는 동그란 얼굴을 가지고 있다.

08 hand 　명 손
- handed - handed 　동 건네주다

Raise your _____.

네 손을 들어라.

She _____ed the letter to me.

그녀는 나에게 편지를 건네주었다.

09 **sister**

명 언니, 누나, 여동생

Do you have a _____?

너는 여자 형제가 있니?

10 **jump**
- jumped - jumped

동 뛰다, 뛰어넘다

The frog _____ed into the pond.

그 개구리는 연못 안으로 뛰어들었다.

11 **bike**

명 자전거

Can you ride a _____?

너는 자전거를 탈 수 있니?

12 **pretty**

형 예쁜, 귀여운

My sister is very _____.

우리 언니는 정말 예쁘다.

13 **race**

명 경주, 레이스

Lucy won the _____.

Lucy가 그 경주에서 이겼다.

14 **heat**
- heated - heated

명 열
동 데우다

_____ rises.

열은 위로 올라간다.

_____ the soup before eating.

먹기 전에 수프를 데워라.

15 **angel**

명 천사

She looks like an _____.

그녀는 천사처럼 보인다.

16 **week**

명 주, 일주일

We stayed in London for two _____s.

우리는 런던에서 2주간 머물렀다.

A 우리말은 영어로, 영어는 우리말로 쓰세요.

1 농구 _____

2 도시 _____

3 뛰다, 뛰어넘다 _____

4 손; 건네주다 _____

5 자전거 _____

6 천사 _____

7 열; 데우다 _____

8 동쪽 _____

9 pretty _____

10 week _____

11 score _____

12 soccer _____

13 race _____

14 sister _____

15 daughter _____

16 face _____

B 괄호 안에서 알맞은 단어를 고르세요.

1 Which way is (east / west)? 어느 길이 동쪽이니?

2 Mr. White has two (sisters / daughters). White 씨에게는 두 명의 딸이 있다.

3 My favorite sport is (baseball / basketball). 내가 가장 좋아하는 운동은 농구이다.

C 주어진 상자에서 알맞은 단어를 골라 문장을 완성하세요.

bike	angel	score	race

1 Lucy won the _____ . Lucy가 그 경주에서 이겼다.

2 She looks like an _____ . 그녀는 천사처럼 보인다.

3 Can you ride a _____ ? 너는 자전거를 탈 수 있니?

4 What's the _____ now? 지금 점수가 어떻게 되지?

정답 p. 165

D 우리말 뜻을 보고, 문장을 완성하세요.

1 _____ rises. 열은 위로 올라간다.

2 She _____ the letter to me. 그녀는 나에게 편지를 건네주었다.

3 New York is a big _____. 뉴욕은 대도시이다.

4 Do you have a _____? 너는 여자 형제가 있니?

5 The frog _____ into the pond. 그 개구리는 연못 안으로 뛰어들었다.

6 Jacky has a round _____. Jacky는 동그란 얼굴을 가지고 있다.

7 Let's play _____ on the playground. 운동장에서 축구하자.

8 We stayed in London for two _____. 우리는 런던에서 2주간 머물렀다.

9 My _____ is very _____. 우리 언니는 정말 예쁘다.

누적 테스트 Unit 04~05의 주요 단어입니다. 우리말 뜻에 맞는 영어 단어를 쓰세요.

1	(빵 등을) 굽다	9	축구
2	의사	10	점수, 득점
3	음식	11	얼굴
4	기름, 석유	12	손; 건네주다
5	점심 (식사)	13	뛰다, 뛰어넘다
6	편지	14	예쁜, 귀여운
7	동전	15	열; 데우다
8	모래, 모래사장	16	천사

Unit 06

01 aunt
[ænt]
명 고모, 이모, 숙모

> '삼촌, 고모부, 이모부'는 uncle이라고 써요.

02 baseball
[béisbɔ̀ːl]
명 야구

03 work
[wəːrk]
동 일하다
명 일

04 child
[tʃaild]
명 아이

05 farm
[faːrm]
명 농장

06 queen
[kwiːn]
명 여왕, 왕비

> '왕'은 king이라고 써요.

07 mask
[mæsk]
명 마스크, 가면

08 flower
[fláuər]
명 꽃

> rose(장미), tulip(튤립), lily(백합) 등이 flower(꽃)에 속해요.

동행이 있으니 좋구나.

✍ 단어를 쓰며 철자와 뜻을 외우세요.

09 rain
[rein]

몡 비
동 비가 오다

13 speak
[spi:k]

동 말하다, 이야기하다

10 river
[rívər]

몡 강

14 teach
[ti:tʃ]

동 가르치다

11 see
[si:]

동 보다

15 toy
[tɔi]

몡 장난감

12 sit
[sit]

동 앉다

16 wife
[waif]

몡 아내, 부인

'남편'은 husband라고 써요.

Step 2 예문 속 단어 익히기

01 aunt
⑲ 고모, 이모, 숙모

My ⬚⬚⬚⬚⬚ lives in Jeju-do.
우리 고모는 제주도에 사신다.

02 baseball
⑲ 야구

I watched a ⬚⬚⬚⬚⬚ game yesterday.
나는 어제 야구 경기를 보았다.

03 work
- worked - worked
⑧ 일하다
⑲ 일

Mr. Jackson ⬚⬚⬚⬚⬚s in a bank.
Jackson 씨는 은행에서 일한다.

I have a lot of ⬚⬚⬚⬚⬚ to do.
나는 해야 할 일이 많이 있다.

04 child
- children
⑲ 아이

What is the ⬚⬚⬚⬚⬚ doing here?
그 아이는 여기에서 무엇을 하고 있니?

05 farm
⑲ 농장

We grow corn on our ⬚⬚⬚⬚⬚.
우리는 농장에서 옥수수를 기른다.

06 queen
⑲ 여왕, 왕비

The ⬚⬚⬚⬚⬚ lived in the castle.
그 여왕은 성에 살았다.

07 mask
⑲ 마스크, 가면

The thief was wearing a ⬚⬚⬚⬚⬚.
그 도둑은 마스크를 쓰고 있었다.

08 flower
⑲ 꽃

Water the ⬚⬚⬚⬚⬚s every day.
매일 꽃들에게 물을 주어라.

09 rain
- rained - rained

명 비
동 비가오다

The _____ stopped suddenly.
갑자기 비가 그쳤다.

It will _____ soon.
곧 비가 올 것이다.

10 river

명 강

The boys went fishing at the _____.
그 소년들은 강으로 낚시를 하러 갔다.

11 see
- saw - seen

동 보다

Can you _____ stars in the sky?
너는 하늘에서 별을 볼 수 있니?

12 sit
- sat - sat

동 앉다

Please _____ down here.
여기에 앉아 주세요.

13 speak
- spoke - spoken

동 말하다, 이야기하다

Will you _____ slowly?
천천히 말해 줄래?

14 teach
- taught - taught

동 가르치다

불규칙 과거형으로 쓰세요.

Mrs. Bolt _____ history for 20 years.
Bolt 선생님은 20년 동안 역사를 가르쳤다.

15 toy

명 장난감

The children played with their _____s.
그 아이들은 장난감들을 가지고 놀았다.

16 wife
- wives

명 아내, 부인

Anne is Gilbert's _____.
Anne은 Gilbert의 부인이다.

A 우리말은 영어로, 영어는 우리말로 쓰세요.

1 야구 _____

2 여왕, 왕비 _____

3 아이 _____

4 보다 _____

5 가르치다 _____

6 꽃 _____

7 비; 비가 오다 _____

8 아내, 부인 _____

9 aunt _____

10 river _____

11 mask _____

12 sit _____

13 work _____

14 speak _____

15 farm _____

16 toy _____

B 괄호 안에서 알맞은 단어를 고르세요.

1 My (aunt / ant) lives in Jeju-do. 우리 고모는 제주도에 사신다.

2 The (rain / pain) stopped suddenly. 갑자기 비가 그쳤다.

3 The thief was wearing a (mass / mask). 그 도둑은 마스크를 쓰고 있었다.

C 주어진 상자에서 알맞은 단어를 골라 문장을 완성하세요.

farm	baseball	wife	toys

1 I watched a _____ game yesterday. 나는 어제 야구 경기를 보았다.

2 The children played with their _____. 그 아이들은 장난감들을 가지고 놀았다.

3 We grow corn on our _____. 우리는 농장에서 옥수수를 기른다.

4 Anne is Gilbert's _____. Anne은 Gilbert의 부인이다.

D 우리말 뜻을 보고, 문장을 완성하세요.

1 Will you _____ slowly? 천천히 말해 줄래?

2 Please _____ down here. 여기에 앉아 주세요.

3 Water the _____ every day. 매일 꽃들에게 물을 주어라.

4 The _____ lived in the castle. 그 여왕은 성에 살았다.

5 What is the _____ doing here? 그 아이는 여기에서 무엇을 하고 있니?

6 Mr. Jackson _____ in a bank. Jackson 씨는 은행에서 일한다.

7 Can you _____ stars in the sky? 너는 하늘에서 별을 볼 수 있니?

8 The boys went fishing at the _____. 그 소년들은 강으로 낚시를 하러 갔다.

9 Mrs. Bolt _____ history for 20 years. Bolt 선생님은 20년 동안 역사를 가르쳤다.

누적 테스트 Unit 05~06의 주요 단어입니다. 우리말 뜻에 맞는 영어 단어를 쓰세요.

1	농구		9	고모, 이모, 숙모
2	도시		10	일하다; 일
3	딸		11	농장
4	동쪽		12	꽃
5	언니, 누나, 여동생		13	비; 비가 오다
6	자전거		14	보다
7	경주, 레이스		15	가르치다
8	주, 일주일		16	아내, 부인

Unit 07

01 art
[ɑːrt]
⑲ 예술, 미술

05 fire
[faiər]
⑲ 불, 화재

02 bath
[bæθ]
⑲ 목욕

06 gift
[gift]
⑲ 선물

03 cheap
[tʃiːp]
⑲ (값이) 싼

07 high
[hai]
⑲ 높은
⑬ 높이

> high에서 gh는 소리 나지 않아요.

04 examination
[igzæ̀mənéiʃən]
⑲ 시험

> exam이라고 짧게 줄여 쓰기도 해요.

08 soft
[sɔːft]
⑲ 부드러운

도시에 도착하다.

09 love
[lʌv]
동 사랑하다
명 사랑

13 pet
[pet]
명 애완동물

우리가 많이 키우는 pet(애완동물)에는 dog(개), cat(고양이) 등이 있어요.

10 lake
[leik]
명 호수

14 ride
[raid]
동 타다

11 meal
[miːl]
명 식사

breakfast(아침 식사), lunch(점심 식사), dinner(저녁 식사) 등과 함께 알아두세요.

15 ship
[ʃip]
명 배, 선박

12 park
[pɑːrk]
명 공원

16 wind
[wind]
명 바람

01 art　명 예술, 미술

[   ] is long, and life is short.

예술은 길고 인생은 짧다.

02 bath　명 목욕

Take a [   ] and get some rest.

목욕하고 좀 쉬어라.

03 cheap　형 (값이)싼

They sell fresh and [   ] fruit.

그들은 신선하고 싼 과일을 판다.

04 examination　명 시험

I studied for an [   ] last night.

나는 어젯밤에 시험 공부를 했다.

05 fire　명 불, 화재

The house is on [   ]!

그 집에 불이 났다!

06 gift　명 선물

My aunt gave me a wonderful [   ].

고모는 내게 멋진 선물을 주셨다.

07 high　형 높은
　　　　　부 높이

The building is very [   ].

그 빌딩은 매우 높다.

My cat can jump [   ].

내 고양이는 높이 뛸 수 있다.

08 soft　형 부드러운

Jacky has [   ] hair.

Jacky는 부드러운 머리결을 가지고 있다.

09 love
-loved-loved

동 사랑하다
명 사랑

I _____ my family.
나는 우리 가족을 사랑한다.

A mother's _____ is great.
어머니의 사랑은 위대하다.

10 lake

명 호수

Are there fish in the _____?
그 호수에 물고기가 있니?

11 meal

명 식사

We should eat three _____s a day.
우리는 하루에 세 끼를 먹어야 한다.

12 park

명 공원

I took a walk in the _____.
나는 공원에서 산책을 했다.

13 pet

명 애완동물

Do you have a _____?
너는 애완동물이 있니?

14 ride
- rode - ridden

동 타다

Sam often _____s a bike in the park.
Sam은 종종 공원에서 자전거를 탄다.

불규칙 과거형으로 쓰세요.

I _____ the bus to school every day.
나는 매일 학교까지 버스를 탔다.

15 ship

명 배, 선박

I saw a _____ on the sea.
나는 바다에서 배 한 척을 보았다.

16 wind

명 바람

The _____ is blowing from the east.
바람이 동쪽에서 불고 있다.

A 우리말은 영어로, 영어는 우리말로 쓰세요.

1	공원	9	gift
2	불, 화재	10	high
3	사랑하다; 사랑	11	pet
4	부드러운	12	ride
5	식사	13	ship
6	예술, 미술	14	lake
7	(값이) 싼	15	bath
8	바람	16	examination

B 괄호 안에서 알맞은 단어를 고르세요.

1 My cat can jump (high / height). 내 고양이는 높이 뛸 수 있다.

2 They sell fresh and (cheap / chief) fruit. 그들은 신선하고 싼 과일을 판다.

3 I saw a (sheep / ship) on the sea. 나는 바다에서 배 한 척을 보았다.

C 주어진 상자에서 알맞은 단어를 골라 문장을 완성하세요.

fire   lake   gift   examination

1 The house is on _____ ! 그 집에 불이 났다!

2 Are there fish in the _____ ? 그 호수에 물고기가 있니?

3 My aunt gave me a wonderful _____ . 고모는 내게 멋진 선물을 주셨다.

4 I studied for an _____ last night. 나는 어젯밤에 시험 공부를 했다.

정답 p. 166

D 우리말 뜻을 보고, 문장을 완성하세요.

1 I _____ my family. 나는 우리 가족을 사랑한다.

2 Take a _____ and get some rest. 목욕하고 좀 쉬어라.

3 Do you have a _____? 너는 애완동물이 있니?

4 _____ is long, and life is short. 예술은 길고 인생은 짧다.

5 Jacky has _____ hair. Jacky는 부드러운 머리결을 가지고 있다.

6 I took a walk in the _____. 나는 공원에서 산책을 했다.

7 The _____ is blowing from the east. 바람이 동쪽에서 불고 있다.

8 We should eat three _____ a day. 우리는 하루에 세 끼를 먹어야 한다.

9 Sam often _____ a bike in the _____. Sam은 종종 공원에서 자전거를 탄다.

누적 테스트 Unit 06~07의 주요 단어입니다. 우리말 뜻에 맞는 영어 단어를 쓰세요.

1	야구	9	예술, 미술
2	아이	10	(값이) 싼
3	여왕, 왕비	11	선물
4	마스크, 가면	12	부드러운
5	강	13	호수
6	앉다	14	식사
7	말하다, 이야기하다	15	타다
8	장난감	16	배, 선박

Unit 08

01 draw
[drɔ:]
동 (선으로) 그리다

05 sing
[siŋ]
동 노래하다

02 shoulder
[ʃóuldər]
명 어깨

06 hot
[hɑt]
형 뜨거운, 매운

03 cool
[ku:l]
형 시원한, 서늘한

07 west
[west]
명 서쪽

04 glass
[glæs]
명 유리, 잔

08 right
[rait]
형 옳은, 오른쪽의

'왼쪽의'라는 뜻을 나타내
는 단어는 **left**예요.

배를 타야 갈 수 있다고?

✎ 단어를 쓰며 철자와 뜻을 외우세요.

⁰⁹**date**
[deit]
명 날짜, 데이트

¹³**swim**
[swim]
동 수영하다

¹⁰**hero**
[híərou]
명 영웅

¹⁴**pool**
[puːl]
명 수영장, 웅덩이

'수영장'은 swimming pool이라고도 해요

¹¹**great**
[greit]
형 많은, 위대한

¹⁵**month**
[mʌnθ]
명 달, 월

¹²**sport**
[spɔːrt]
명 스포츠, 운동

baseball(야구), soccer (축구) 등이 sport(운동) 에 속해요.

¹⁶**year**
[jiər]
명 해, 1년

01 draw
- drew - drawn

동 (선으로) 그리다

> 불규칙 과거형으로 쓰세요

I _____ a plane.

나는 비행기 한 대를 그렸다.

---

02 shoulder

명 어깨

I looked back over my _____.

나는 어깨 너머로 뒤돌아보았다.

---

03 cool

형 시원한, 서늘한

It was _____ after the rain.

비가 온 후에는 시원했다.

---

04 glass
- glasses

명 유리, 잔

Give me a _____ of water.

나에게 물 한 잔 주세요.

---

05 sing
- sang - sung

동 노래하다

Let's _____ a song.

노래를 부르자.

---

06 hot

형 뜨거운, 매운

I want to drink something _____.

나는 뜨거운 것을 마시고 싶다.

This dish is very _____.

이 요리는 무척 맵다.

---

07 west

명 서쪽

The sun sets in the _____.

태양은 서쪽에서 진다.

---

08 right

형 옳은, 오른쪽의

You did the _____ thing.

너는 옳은 일을 했어.

He has something in his _____ hand.

그는 오른손에 무언가를 가지고 있다.

[09] **date** 명 날짜, 데이트

What's the _____ today?
오늘이 며칠이니?

How was your _____ with Kelly?
Kelly와의 데이트는 어땠니?

[10] **hero** 명 영웅
- heroes

He was my _____ for a long time.
그는 오랫동안 나의 영웅이었다.

[11] **great** 형 많은, 위대한

A _____ number of people love him.
많은 수의 사람들이 그를 사랑한다.

Picasso was a _____ artist.
피카소는 위대한 화가였다.

[12] **sport** 명 스포츠, 운동

What's your favorite _____?
네가 가장 좋아하는 운동은 뭐니?

[13] **swim** 동 수영하다
- swam - swum

Can you _____?
너는 수영할 수 있니?

[14] **pool** 명 수영장, 웅덩이

I like to swim in a _____.
나는 수영장에서 수영하는 것을 좋아한다.

[15] **month** 명 달, 월

My family stayed in Canada for a _____.
우리 가족은 한 달 동안 캐나다에 머물렀다.

[16] **year** 명 해, 1년

I met my girlfriend last _____.
나는 작년에 내 여자친구를 만났다.

A 우리말은 영어로, 영어는 우리말로 쓰세요.

1	날짜, 데이트	_____	9	great	_____
2	유리, 잔	_____	10	sing	_____
3	스포츠, 운동	_____	11	cool	_____
4	수영하다	_____	12	right	_____
5	어깨	_____	13	hot	_____
6	서쪽	_____	14	year	_____
7	영웅	_____	15	draw	_____
8	수영장, 웅덩이	_____	16	month	_____

B 괄호 안에서 알맞은 단어를 고르세요.

1 Picasso was a (great / glad) artist. 피카소는 위대한 화가였다.

2 What's your favorite (spot / sport)? 네가 가장 좋아하는 운동은 뭐니?

3 Give me a (glass / grass) of water. 나에게 물 한 잔 주세요.

C 주어진 상자에서 알맞은 단어를 골라 문장을 완성하세요.

date	hero	month	pool

1 He was my _____ for a long time. 그는 오랫동안 나의 영웅이었다.

2 What's the _____ today? 오늘이 며칠이니?

3 I like to swim in a _____. 나는 수영장에서 수영하는 것을 좋아한다.

4 My family stayed in Canada for a _____. 우리 가족은 한 달 동안 캐나다에 머물렀다.

정답 p. 166

D 우리말 뜻을 보고, 문장을 완성하세요.

1 Let's _____ a song. 노래를 부르자.

2 I _____ a plane. 나는 비행기 한 대를 그렸다.

3 I looked back over my _____. 나는 어깨 너머로 뒤돌아보았다.

4 Can you _____? 너는 수영할 수 있니?

5 You did the _____ thing. 너는 옳은 일을 했어.

6 It was _____ after the rain. 비가 온 후에는 시원했다.

7 The sun sets in the _____. 태양은 서쪽에서 진다.

8 I want to drink something _____. 나는 뜨거운 것을 마시고 싶다.

9 I met my girlfriend last _____. 나는 작년에 내 여자친구를 만났다.

누적 테스트 Unit 07~08의 주요 단어입니다. 우리말 뜻에 맞는 영어 단어를 쓰세요.

1	목욕	9	(선으로) 그리다
2	시험	10	시원한, 서늘한
3	불, 화재	11	서쪽
4	높은; 높이	12	옳은, 오른쪽의
5	사랑하다; 사랑	13	영웅
6	공원	14	많은, 위대한
7	애완동물	15	수영장, 웅덩이
8	바람	16	해, 1년

주제별 어휘

학교

break 명 쉬는 시간

textbook 명 교과서

notebook 명 공책

uniform 명 교복

teacher 명 교사

student 명 학생

classmate 명 반친구 **classroom** 명 교실 **blackboard** 명 칠판

playground 명 운동장 **test** 명 시험 **lesson** 명 수업

01 **teacher**	명 교사	Mr. Johnson is a math _____.	
		Johnson 씨는 수학 교사이다.	

01 **teacher** 　명 교사　Mr. Johnson is a math _____.
Johnson 씨는 수학 교사이다.

02 **student** 　명 학생　My sister is a middle school _____.
우리 누나는 중학생이다.

03 **break** 　명 쉬는 시간　Come and see me at the _____.
쉬는 시간에 나를 보러 와라.

04 **textbook** 　명 교과서　Open your _____s.
여러분의 교과서를 펴세요.

05 **notebook** 　명 공책　I bought a _____.
나는 공책 한 권을 샀다.

06 **uniform** 　명 교복　We wear a _____ at school.
우리는 학교에서 교복을 입는다.

07 **classmate** 　명 반친구　I met my new _____s.
나는 새로운 반친구들을 만났다.

08 **classroom** 　명 교실　Don't run in the _____.
교실에서는 뛰지 마라.

09 **blackboard** 　명 칠판　The teacher is writing on the _____.
선생님은 칠판에 글을 쓰고 있다.

10 **playground** 　명 운동장　Let's play basketball on the _____.
운동장에서 농구하자.

11 **test** 　명 시험　I have an English _____ tomorrow.
나는 내일 영어 시험이 있다.

12 **lesson** 　명 수업　What did we do last _____?
지난 수업에서 우리가 무엇을 했지?

Unit 09

01 answer
[ǽnsər]

ⓜ 대답
ⓥ 대답하다

05 fog
[fɔːg]

ⓜ 안개

02 nurse
[nəːrs]

ⓜ 간호사

'의사(doctor)'와 '병원(hospital)'도 함께 알아 두세요.

06 jacket
[dʒǽkit]

ⓜ 재킷, 상의

03 snow
[snou]

ⓜ 눈
ⓥ 눈이 내리다

07 cute
[kjuːt]

ⓗ 귀여운

04 fat
[fæt]

ⓗ 뚱뚱한, 살찐

08 kid
[kid]

ⓜ 아이, 어린이

이제는 용이 있는 곳으로 출발!

그래도 마을 사람들과 가족을 위해서 가야 해요.

용감한 kid로구나.

날씨를 보니 fog가 낄 것 같구나. 좀 있다 데려다 주마.

✎ 단어를 쓰며 철자와 뜻을 외우세요.

⁰⁹ math
[mæθ]
똉 수학

> mathematics라고 쓰기도 해요.

¹³ land
[lænd]
똉 육지, 땅

¹⁰ fail
[feil]
뙁 실패하다, (시험에) 떨어지다

¹⁴ place
[pleis]
똉 장소

¹¹ monkey
[mʌ́ŋki]
똉 원숭이

> [ŋ]은 우리말의 받침 'ㅇ'와 비슷한 소리가 나요.

¹⁵ uncle
[ʌ́ŋkl]
똉 삼촌, 고모부, 이모부

¹² moon
[muːn]
똉 달

¹⁶ dish
[diʃ]
똉 접시, 요리

01 answer
- answered
- answered

명 대답
동 대답하다

That's not the right _____.

그것은 옳은 대답이 아니다.

Please _____ this question.

이 질문에 대답해 주세요.

02 nurse

명 간호사

The _____ will give you a shot.

간호사가 너에게 주사를 놓을 것이다.

03 snow
- snowed - snowed

명 눈
동 눈이 내리다

_____ is falling.

눈이 내리고 있다.

It will _____ tomorrow.

내일은 눈이 내릴 것이다.

04 fat

형 뚱뚱한, 살찐

Fast food can make you _____.

패스트푸드는 너를 살찌게 할 수도 있다.

05 fog

명 안개

We got lost in the _____.

우리는 안개 속에서 길을 잃었다.

06 jacket

명 재킷, 상의

He is wearing a red _____.

그는 빨간색 재킷을 입고 있다.

07 cute

형 귀여운

Your baby is so _____.

당신의 아기는 정말 귀여워요.

08 kid

명 아이, 어린이

Emily is a cute _____.

Emily는 귀여운 아이이다.

09 **math**
명 수학

I want to be a _____ teacher.
나는 수학 선생님이 되고 싶다.

10 **fail**
- failed - failed
동 실패하다, (시험에) 떨어지다

If you _____, try again.
만약 네가 실패한다면 다시 시도해라.

Many students _____ed the exam.
많은 학생들이 그 시험에 떨어졌다.

11 **monkey**
명 원숭이

The boy saw a _____ at the zoo.
그 소년은 동물원에서 원숭이를 보았다.

12 **moon**
명 달

There is no _____ tonight.
오늘밤에는 달이 없다.

13 **land**
명 육지, 땅

The _____ was very dry after the hot summer. 더운 여름이 지난 후에 땅은 매우 건조했다.

14 **place**
명 장소

This park is a good _____ for kids.
이 공원은 아이들에게 좋은 장소이다.

15 **uncle**
명 삼촌, 고모부, 이모부

My _____ is a great doctor.
우리 삼촌은 훌륭한 의사이다.

16 **dish**
- dishes
명 접시, 요리

I wash the _____es after dinner.
나는 저녁식사 후에 설거지를 한다.

This chicken _____ tastes good. 이 닭고기 요리는 맛있다.

A 우리말은 영어로, 영어는 우리말로 쓰세요.

1	귀여운	_____	9	fail	_____
2	원숭이	_____	10	answer	_____
3	간호사	_____	11	moon	_____
4	눈; 눈이 내리다	_____	12	math	_____
5	접시, 요리	_____	13	fat	_____
6	재킷, 상의	_____	14	place	_____
7	아이, 어린이	_____	15	uncle	_____
8	육지, 땅	_____	16	fog	_____

B 괄호 안에서 알맞은 단어를 고르세요.

1 Emily is a cute (kid / kit). Emily는 귀여운 아이이다.

2 There is no (noon / moon) tonight. 오늘밤에는 달이 없다.

3 Fast food can make you (fat / flat). 패스트푸드는 너를 살찌게 할 수도 있다.

C 주어진 상자에서 알맞은 단어를 골라 문장을 완성하세요.

fog	nurse	land	dishes

1 I wash the _____ after dinner. 나는 저녁식사 후에 설거지를 한다.

2 The _____ will give you a shot. 간호사가 너에게 주사를 놓을 것이다.

3 We got lost in the _____ . 우리는 안개 속에서 길을 잃었다.

4 The _____ was very dry after the hot summer.
더운 여름이 지난 후에 땅은 매우 건조했다.

정답 p. 166

D 우리말 뜻을 보고, 문장을 완성하세요.

1 It will _____ tomorrow. 내일은 눈이 내릴 것이다.

2 Your baby is so _____ . 당신의 아기는 정말 귀여워요.

3 Please _____ this question. 이 질문에 대답해 주세요.

4 He is wearing a red _____ . 그는 빨간색 재킷을 입고 있다.

5 My _____ is a great doctor. 우리 삼촌은 훌륭한 의사이다.

6 I want to be a _____ teacher. 나는 수학 선생님이 되고 싶다.

7 Many students _____ the exam. 많은 학생들이 그 시험에 떨어졌다.

8 The boy saw a _____ at the zoo. 그 소년은 동물원에서 원숭이를 보았다.

9 This park is a good _____ for _____ . 이 공원은 아이들에게 좋은 장소이다.

누적 테스트 　Unit 08~09의 주요 단어입니다. 우리말 뜻에 맞는 영어 단어를 쓰세요.

1	어깨	9	대답; 대답하다
2	유리, 잔	10	뚱뚱한, 살찐
3	노래하다	11	안개
4	뜨거운, 매운	12	귀여운
5	날짜, 데이트	13	수학
6	스포츠, 운동	14	원숭이
7	수영하다	15	장소
8	달, 월	16	접시, 요리

01 picnic
[píknik]
® 소풍, 피크닉

> '소풍을 가다'라고 할 때
> 는 go on[for] a picnic
> 이라고 써요.

05 sugar
[ʃúgər]
® 설탕

02 kill
[kil]
동 죽이다

06 sad
[sæd]
형 슬픈

03 guitar
[gitá:r]
® 기타

07 rice
[rais]
® 쌀

04 mouse
[maus]
® 쥐, 생쥐

08 crop
[krɑp]
® 농작물

> rice(쌀), corn(옥수수),
> wheat(밀) 등이 crop
> (농작물)에 속해요.

용이 사는 섬이 보인다!

⁰⁹rabbit
[rǽbit]
명 토끼

¹³slow
[slou]
형 느린
동 속도를 줄이다

¹⁰sea
[siː]
명 바다

¹⁴sock
[sɑk]
명 양말

> 양말은 두 개가 한 쌍이므로 주로 복수형인 socks로 써요.

¹¹salt
[sɔːlt]
명 소금

¹⁵south
[sauθ]
명 남쪽

¹²become
[bikʌ́m]
동 …가 되다

¹⁶north
[nɔːrθ]
명 북쪽

01 picnic
(명) 소풍, 피크닉

It is sunny. Let's go on a _____.
화창한 날씨네. 우리 소풍 가자.

02 kill
- killed - killed
(동) 죽이다

Lions _____ other animals for food.
사자는 먹기 위해 다른 동물들을 죽인다.

03 guitar
(명) 기타

I enjoy playing the _____.
나는 기타 연주하는 것을 즐긴다.

04 mouse
- mice
(명) 쥐, 생쥐

There is a _____ in the house.
집 안에 쥐가 한 마리 있다.

불규칙 복수형으로 쓰세요.

I'm afraid of _____.
나는 쥐들을 무서워한다.

05 sugar
(명) 설탕

Do you take _____ in your coffee?
너는 커피에 설탕을 넣니?

06 sad
(형) 슬픈

The movie is really _____.
그 영화는 정말 슬프다.

07 rice
(명) 쌀

Wash the _____ before cooking it. 요리하기 전에 쌀을 씻어라.

RICE

08 crop
(명) 농작물

Rice is an important _____ in Korea.
쌀은 한국에서 중요한 농작물이다.

09 **rabbit**   명 토끼   A _____ and a turtle are racing in the forest. 토끼와 거북이가 숲 속에서 경주를 하고 있다.

10 **sea**   명 바다   How deep is the _____ ?

그 바다는 얼마나 깊지?

11 **salt**   명 소금   Put the _____ in the soup.

수프에 소금을 넣어라.

불규칙 과거형으로 쓰세요.

12 **become**   동 …가 되다
- became - become

The man _____ a doctor.

그 남자는 의사가 되었다.

13 **slow**   형 느린
- slowed - slowed   동 속도를 줄이다

A turtle is very _____ .

거북이는 매우 느리다.

You're driving too fast. _____ down.

너는 너무 빨리 운전하고 있어. 속도를 줄여.

14 **sock**   명 양말   She gave me three pairs of _____ s.

그녀는 내게 양말 세 켤레를 주었다.

15 **south**   명 남쪽   Some birds fly to the _____ in winter.

어떤 새들은 겨울에 남쪽으로 날아간다.

16 **north**   명 북쪽   The cold wind came from the _____ .

차가운 바람이 북쪽에서 불어왔다.

A 우리말은 영어로, 영어는 우리말로 쓰세요.

1	양말		9	salt
2	기타		10	rabbit
3	농작물		11	slow
4	슬픈		12	mouse
5	소풍, 피크닉		13	kill
6	바다		14	south
7	설탕		15	rice
8	…가 되다		16	north

B 괄호 안에서 알맞은 단어를 고르세요.

1 She gave me three pairs of (socks / shoes).   그녀는 내게 양말 세 켤레를 주었다.

2 Do you take (sugar / salt) in your coffee?   너는 커피에 설탕을 넣니?

3 Wash the (rye / rice) before cooking it.   요리하기 전에 쌀을 씻어라.

C 주어진 상자에서 알맞은 단어를 골라 문장을 완성하세요.

salt   sea   mouse   rabbit

1 Put the _____ in the soup.   수프에 소금을 넣어라.

2 There is a _____ in the house.   집 안에 쥐가 한 마리 있다.

3 How deep is the _____ ?   그 바다는 얼마나 깊지?

4 A _____ and a turtle are racing in the forest.   토끼와 거북이가 숲 속에서 경주를 하고 있다.

정답 p. 167

D 우리말 뜻을 보고, 문장을 완성하세요.

1 The man _____ a doctor. 그 남자는 의사가 되었다.

2 A turtle is very _____. 거북이는 매우 느리다.

3 The movie is really _____. 그 영화는 정말 슬프다.

4 I enjoy playing the _____. 나는 기타 연주하는 것을 즐긴다.

5 It is sunny. Let's go on a _____. 화창한 날씨네. 우리 소풍 가자.

6 The cold wind came from the _____. 차가운 바람이 북쪽에서 불어왔다.

7 Some birds fly to the _____ in winter. 어떤 새들은 겨울에 남쪽으로 날아간다.

8 Lions _____ other animals for food. 사자는 먹기 위해 다른 동물들을 죽인다.

9 _____ is an important _____ in Korea. 쌀은 한국에서 중요한 농작물이다.

누적 테스트

Unit 09~10의 주요 단어입니다. 우리말 뜻에 맞는 영어 단어를 쓰세요.

1	간호사	9	죽이다
2	눈; 눈이 내리다	10	쥐, 생쥐
3	재킷, 상의	11	쌀
4	아이, 어린이	12	토끼
5	실패하다, (시험에) 떨어지다	13	바다
6	달	14	소금
7	육지, 땅	15	느린; 속도를 줄이다
8	삼촌, 고모부, 이모부	16	북쪽

Step 1 단어와 뜻 익히기

01 note
[nout]
몡 메모, 쪽지

05 wood
[wud]
몡 나무, 숲

02 roof
[ru:f]
몡 지붕

06 next
[nekst]
혱 다음의, 옆의

> next to는 '… 옆에'라는 의미를 나타내요.

03 summer
[sʌ́mər]
몡 여름

07 angry
[ǽŋgri]
혱 화난

04 winter
[wíntər]
몡 겨울

> spring(봄), summer(여름), fall(가을), winter(겨울)는 'season(계절)'을 나타내요.

08 blow
[blou]
동 (바람이) 불다

왠지 으스스한 느낌이야.

✍ 단어를 쓰며 철자와 뜻을 외우세요.

09 ghost
[goust]
명 유령, 귀신

13 chicken
[tʃíkən]
명 닭, 닭고기

10 cry
[krai]
동 울다, 외치다

14 hobby
[hάbi]
명 취미

11 drink
[driŋk]
동 마시다
명 음료

15 member
[mémbər]
명 구성원, 회원

12 gold
[gould]
명 금

16 movie
[múːvi]
명 영화

> film도 '영화'라는 뜻을 나타내요.

01 note 　명 메모, 쪽지

There is a _____ on the desk.

책상 위에 쪽지가 하나 있다.

02 roof　명 지붕
- roofs

Bill fixed the _____ of my house.

Bill은 우리 집의 지붕을 고쳤다.

03 summer　명 여름

I often go swimming in _____.

나는 여름에 종종 수영을 하러 간다.

04 winter　명 겨울

It was very cold last _____.

지난 겨울은 무척 추웠다.

05 wood　명 나무, 숲

This table is made of _____.

이 탁자는 나무로 만들어졌다.

Mr. Brown's house is near a small _____.

Brown 씨의 집은 작은 숲 근처에 있다.

06 next　형 다음의, 옆의

You'll do better _____ time.

다음번에는 더 잘할 거야.

The girl sat _____ to me.

그 소녀는 내 옆에 앉았다.

07 angry　형 화난

The rude boy made me _____.

그 버릇없는 소년은 나를 화나게 만들었다.

08 blow　동 (바람이) 불다
- blew - blown

The wind is _____ing hard.

바람이 심하게 불고 있다.

09 ghost

명 유령, 귀신

Do you believe in   s?

너는 유령이 있다고 믿니?

10 cry
- cried - cried

동 울다, 외치다

Don't   . You'll be fine.

울지 마. 너는 괜찮을 거야.

11 drink
- drank - drunk

동 마시다
명 음료

Would you like something to   ?

마실 것 좀 드릴까요?

Food and   will be provided.

먹을 것과 음료가 제공될 것이다.

12 gold

명 금

The ring is made of   .

그 반지는 금으로 만들어졌다.

13 chicken

명 닭, 닭고기

My father keeps   s on his farm.

우리 아버지는 농장에서 닭들을 키우신다.

14 hobby
- hobbies

명 취미

My favorite   is drawing.

내가 가장 좋아하는 취미는 그림을 그리는 것이다.

15 member

명 구성원, 회원

I'm a   of a book club.

나는 독서 동호회의 회원이다.

16 movie

명 영화

Tony likes fantasy   s.

Tony는 판타지 영화들을 좋아한다.

A 우리말은 영어로, 영어는 우리말로 쓰세요.

1 다음의, 옆의 _____

2 겨울 _____

3 영화 _____

4 금 _____

5 닭, 닭고기 _____

6 지붕 _____

7 마시다; 음료 _____

8 여름 _____

9 wood _____

10 hobby _____

11 blow _____

12 angry _____

13 member _____

14 cry _____

15 note _____

16 ghost _____

B 괄호 안에서 알맞은 단어를 고르세요.

1 Tony likes fantasy (movies / moves). Tony는 판타지 영화들을 좋아한다.

2 My favorite (hope / hobby) is drawing. 내가 가장 좋아하는 취미는 그림을 그리는 것이다.

3 This table is made of (wood / wool). 이 탁자는 나무로 만들어졌다.

C 주어진 상자에서 알맞은 단어를 골라 문장을 완성하세요.

ghosts	note	gold	chickens

1 Do you believe in _____? 너는 유령이 있다고 믿니?

2 The ring is made of _____. 그 반지는 금으로 만들어졌다.

3 There is a _____ on the desk. 책상 위에 쪽지가 하나 있다.

4 My father keeps _____ on his farm. 우리 아버지는 농장에서 닭들을 키우신다.

D 우리말 뜻을 보고, 문장을 완성하세요.

1 Don't _____ . You'll be fine. 울지 마. 너는 괜찮을 거야.

2 You'll do better _____ time. 다음번에는 더 잘할 거야.

3 Would you like something to _____ ? 마실 것 좀 드릴까요?

4 It was very cold last _____ . 지난 겨울은 무척 추웠다.

5 The wind is _____ hard. 바람이 심하게 불고 있다.

6 I'm a _____ of a book club. 나는 독서 동호회의 회원이다.

7 I often go swimming in _____ . 나는 여름에 종종 수영을 하러 간다.

8 Bill fixed the _____ of my house. Bill은 우리 집의 지붕을 고쳤다.

9 The rude boy made me _____ . 그 버릇없는 소년은 나를 화나게 만들었다.

누적 테스트 Unit 10~11의 주요 단어입니다. 우리말 뜻에 맞는 영어 단어를 쓰세요.

1	소풍, 피크닉	9	메모, 쪽지
2	기타	10	여름
3	설탕	11	나무, 숲
4	슬픈	12	화난
5	농작물	13	유령, 귀신
6	…가 되다	14	울다, 외치다
7	양말	15	취미
8	남쪽	16	구성원, 회원

Unit 12

Step 1 단어와 뜻 익히기

01 brother
[brʌ́ðər]
명 형, 오빠, 남동생

'언니, 누나, 여동생'은 sister라고 써요.

02 arrive
[əráiv]
동 도착하다

03 couple
[kʌ́pl]
명 두 사람, 커플

04 end
[end]
명 끝
동 끝나다

05 fact
[fækt]
명 사실

06 glad
[glæd]
형 기쁜, 반가운

07 group
[gru:p]
명 무리, 그룹

08 homework
[hóumwə̀rk]
명 숙제

home(집) + work(일, 공부) = homework(숙제)

용이 많아도 문제, 없어도 문제.

그냥 돌아가자. 너무 무서워.

섬에 arrive 한 지 얼마나 됐다고 벌써 가자고 해.

설마 용이 한 마리가 아니라 group은 아니겠지?

엣??

뭐 … 뭐라고? 한 마리가 아니라 여러 마리?

덜덜덜덜

↙ 단어를 쓰며 철자와 뜻을 외우세요.

09 money ® 돈
[mʌ́ni]

13 o'clock ® …시
[əklák]

> two o'clock은 '2시', three o'clock은 '3시'를 나타내요.

10 ill ® 아픈, 병든
[il]

14 wild ® 야생의
[waild]

11 make ® 만들다
[meik]

15 poor ® 가난한
[puər]

12 help ® 돕다
[help]

16 rest ® 휴식
[rest] ® 휴식을 취하다

아니면 용이 이 세상에 없을 수도 있어.

안돼. 그러면 ill한 마을 사람들을 help할 수 없어.

누군가 용이 있다고 거짓으로 make한 이야기일 수도 있잖아.

그럼 안되는데 ….

01 brother
명 형, 오빠, 남동생

I have an older _____.
나는 형이 한 명 있다.

02 arrive
- arrived - arrived
동 도착하다

Eric will _____ in Seoul tomorrow.
Eric은 내일 서울에 도착할 것이다.

03 couple
명 두 사람, 커플

Harry and Ginny are a cute _____.
Harry와 Ginny는 귀여운 커플이다.

04 end
- ended - ended
명 끝
동 끝나다

This is the _____ of the story.
이것이 그 이야기의 끝이다.

How does the movie _____?
그 영화는 어떻게 끝나니?

05 fact
명 사실

In _____, Tim failed the exam.
사실, Tim은 그 시험에서 떨어졌다.

06 glad
형 기쁜, 반가운

I'm _____ to see you.
당신을 만나서 반갑습니다.

07 group
명 무리, 그룹

A _____ of boys were playing soccer.
한 무리의 소년들이 축구를 하고 있었다.

08 homework
명 숙제

Do you have any _____ today?
너는 오늘 숙제가 있니?

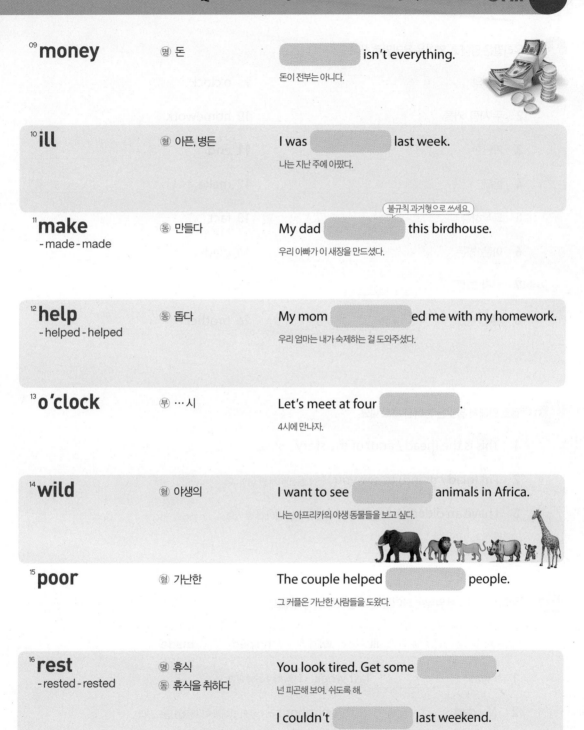

09 **money**

명 돈

_____ isn't everything.

돈이 전부는 아니다.

10 **ill**

형 아픈, 병든

I was _____ last week.

나는 지난 주에 아팠다.

11 **make**
- made - made

동 만들다

불규칙 과거형으로 쓰세요

My dad _____ this birdhouse.

우리 아빠가 이 새장을 만드셨다.

12 **help**
- helped - helped

동 돕다

My mom _____ed me with my homework.

우리 엄마는 내가 숙제하는 걸 도와주셨다.

13 **o'clock**

부 …시

Let's meet at four _____.

4시에 만나자.

14 **wild**

형 야생의

I want to see _____ animals in Africa.

나는 아프리카의 야생 동물들을 보고 싶다.

15 **poor**

형 가난한

The couple helped _____ people.

그 커플은 가난한 사람들을 도왔다.

16 **rest**
- rested - rested

명 휴식
동 휴식을 취하다

You look tired. Get some _____.

넌 피곤해 보여. 쉬도록 해.

I couldn't _____ last weekend.

나는 지난 주말에 휴식을 취할 수 없었다.

A 우리말은 영어로, 영어는 우리말로 쓰세요.

1	야생의		9	o'clock
2	두 사람, 커플		10	homework
3	가난한		11	end
4	돕다		12	make
5	도착하다		13	fact
6	아픈, 병든		14	glad
7	무리, 그룹		15	rest
8	돈		16	brother

B 괄호 안에서 알맞은 단어를 고르세요.

1 This is the (head / end) of the story. 이것이 그 이야기의 끝이다.

2 I'm (glad / grand) to see you. 당신을 만나서 반갑습니다.

3 I have an older (sister / brother). 나는 형이 한 명 있다.

C 주어진 상자에서 알맞은 단어를 골라 문장을 완성하세요.

ill	wild	helped	made

1 I was _____ last week. 나는 지난 주에 아팠다.

2 My dad _____ this birdhouse. 우리 아빠가 이 새장을 만드셨다.

3 I want to see _____ animals in Africa. 나는 아프리카의 야생 동물들을 보고 싶다.

4 My mom _____ me with my homework. 우리 엄마는 내가 숙제하는 걸 도와주셨다.

정답 p. 167

D 우리말 뜻을 보고, 문장을 완성하세요.

1 Harry and Ginny are a cute _____. Harry와 Ginny는 귀여운 커플이다.

2 Let's meet at four _____. 4시에 만나자.

3 _____ isn't everything. 돈이 전부는 아니다.

4 In _____, Tim failed the exam. 사실, Tim은 그 시험에서 떨어졌다.

5 Do you have any _____ today? 너는 오늘 숙제가 있니?

6 I couldn't _____ last weekend. 나는 지난 주말에 휴식을 취할 수 없었다.

7 Eric will _____ in Seoul tomorrow. Eric은 내일 서울에 도착할 것이다.

8 A _____ of boys were playing soccer. 한 무리의 소년들이 축구를 하고 있었다.

9 The couple _____ _____ people. 그 커플은 가난한 사람들을 도왔다.

누적 테스트 Unit 11~12의 주요 단어입니다. 우리말 뜻에 맞는 영어 단어를 쓰세요.

1	지붕		9	형, 오빠, 남동생	
2	겨울		10	끝; 끝나다	
3	다음의, 옆의		11	사실	
4	(바람이) 불다		12	기쁜, 반가운	
5	마시다; 음료		13	숙제	
6	금		14	아픈, 병든	
7	닭, 닭고기		15	야생의	
8	영화		16	가난한	

breakfast 명 아침 식사

dinner 명 저녁 식사

bread 명 빵

dessert 명 디저트, 후식

beef 명 소고기

pork 명 돼지고기

snack 명 간식

vegetable 명 채소

potato 명 감자

onion 명 양파

carrot 명 당근

garlic 명 마늘

01 breakfast 명 아침 식사

I usually don't eat _____.

나는 보통 아침 식사를 하지 않는다.

02 dinner 명 저녁 식사

My father cooked _____ yesterday.

우리 아빠는 어제 저녁 식사를 만드셨다.

03 beef 명 소고기

I had a _____ steak for dinner.

나는 저녁 식사로 소고기 스테이크를 먹었다.

04 pork 명 돼지고기

I like _____ better than beef.

나는 소고기보다 돼지고기를 더 좋아한다.

05 vegetable 명 채소

You should eat meat with _____s.

너는 고기를 채소와 함께 먹어야 한다.

06 potato 명 감자
- potatoes

Mary boiled some _____es for us.

Mary는 우리를 위해 감자를 몇 개 삶았다.

07 onion 명 양파

The soup tastes of _____.

그 수프는 양파 맛이 난다.

08 carrot 명 당근

Why do rabbits like _____s?

토끼들은 왜 당근을 좋아할까?

09 garlic 명 마늘

Put the _____ and onion into the pan.

마늘과 양파를 팬에 넣어라.

10 bread 명 빵

I often have _____ and milk for breakfast.

나는 종종 아침 식사로 빵과 우유를 먹는다.

11 dessert 명 디저트, 후식

Ice cream is my favorite _____.

아이스크림은 내가 가장 좋아하는 디저트이다.

12 snack 명 간식

It's _____ time. Let's have some cookies and tea.

간식 시간이다. 쿠키와 차를 좀 먹자.

01 brain
[brein]
명 뇌, 머리

05 same
[seim]
형 같은

02 beautiful
[bjúːtəfəl]
형 아름다운

06 sick
[sik]
형 아픈, 병든

03 smile
[smail]
명 미소
동 미소 짓다

07 strong
[strɔːŋ]
형 강한, 튼튼한

04 color
[kʌ́lər]
명 색, 빛깔

colour라고 쓰기도 해요.

08 drop
[drɑp]
동 떨어뜨리다, 떨어지다

누구냐, 넌?

← 단어를 쓰며 철자와 뜻을 외우세요.

⁰⁹ restaurant
[réstərənt]

몡 식당

> '한식당'은 Korean restaurant, '중국 식당'은 Chinese restaurant라고 써요.

¹⁰ check
[tʃek]

동 확인하다

¹¹ start
[staːrt]

동 시작하다

¹² finish
[fíniʃ]

동 끝내다, 끝나다

> start와 finish처럼 반대되는 의미의 단어들은 함께 알아두세요.

¹³ time
[taim]

몡 시간, 때

¹⁴ way
[wei]

몡 길, 방법

¹⁵ world
[wəːrld]

몡 세계, 세상

¹⁶ add
[æd]

동 더하다, 추가하다

01 brain

명 뇌, 머리

My   works better at night.

내 뇌는 밤에 더 활발하게 활동한다.

02 beautiful

형 아름다운

The actress is really   .

그 여배우는 정말 아름답다.

03 smile
- smiled - smiled

명 미소
동 미소 짓다

I like her beautiful   .

나는 그녀의 아름다운 미소를 좋아한다.

Jane   d happily at me.

Jane은 나를 향해 행복하게 미소 지었다.

04 color

명 색, 빛깔

Leaves change   in fall.

나뭇잎들은 가을에 색이 변한다.

05 same

형 같은

I have the   bag as yours.

나는 네 것과 같은 가방을 가지고 있다.

06 sick

형 아픈, 병든

I was   in bed yesterday.

나는 어제 아파서 침대에 누워 있었다.

07 strong

형 강한, 튼튼한

The   man won the game.

그 강한 남자가 경기에서 이겼다.

08 drop
- dropped - dropped

동 떨어뜨리다, 떨어지다

I   ped my smartphone on the floor.

나는 내 스마트폰을 바닥에 떨어뜨렸다.

09 restaurant 명 식당

Let's go out to an Italian _____. 이탈리아 식당으로 가자.

10 check
- checked - checked

동 확인하다

Did you _____ your answers?
네 답을 확인했니?

11 start
- started - started

동 시작하다

It _____ed to rain.
비가 오기 시작했다.

12 finish
- finished - finished

동 끝내다, 끝나다

Can you _____ the work in a day?
너는 그 일을 하루에 끝낼 수 있니?

13 time 명 시간, 때

_____ flies.
시간은 빨리 지나간다.

It's _____ for lunch.
점심 먹을 때이다.

14 way 명 길, 방법

Lisa lost her _____ in the fog.
Lisa는 안개 속에서 길을 잃었다.

What's the best _____ to solve the problem? 그 문제를 해결하는 가장 좋은 방법은 무엇이니?

15 world 명 세계, 세상

What a beautiful _____!
정말 아름다운 세상이구나!

16 add
- added - added

동 더하다, 추가하다

_____ up the numbers from 1 to 20.
1부터 20까지의 수를 더해라.

A 우리말은 영어로, 영어는 우리말로 쓰세요.

1 시작하다 _____

2 끝내다, 끝나다 _____

3 미소; 미소 짓다 _____

4 색, 빛깔 _____

5 아픈, 병든 _____

6 식당 _____

7 아름다운 _____

8 강한, 튼튼한 _____

9 world _____

10 time _____

11 same _____

12 way _____

13 brain _____

14 check _____

15 add _____

16 drop _____

B 괄호 안에서 알맞은 단어를 고르세요.

1 What a beautiful (world / word)! 정말 아름다운 세상이구나!

2 Lisa lost her (day / way) in the fog. Lisa는 안개 속에서 길을 잃었다.

3 Leaves change (collar / color) in fall. 나뭇잎들은 가을에 색이 변한다.

C 주어진 상자에서 알맞은 단어를 골라 문장을 완성하세요.

dropped	same	beautiful	started

1 It _____ to rain. 비가 오기 시작했다.

2 The actress is really _____. 그 여배우는 정말 아름답다.

3 I have the _____ bag as yours. 나는 네 것과 같은 가방을 가지고 있다.

4 I _____ my smartphone on the floor. 나는 내 스마트폰을 바닥에 떨어뜨렸다.

D 우리말 뜻을 보고, 문장을 완성하세요.

1 _____ flies. 시간은 빨리 지나간다.

2 I was _____ in bed yesterday. 나는 어제 **아파서** 침대에 누워 있었다.

3 My _____ works better at night. 내 뇌는 밤에 더 활발하게 활동한다.

4 Let's go out to an Italian _____. 이탈리아 **식당**으로 가자.

5 The _____ man won the game. 그 강한 남자가 경기에서 이겼다.

6 Did you _____ your answers? 네 답을 확인했니?

7 _____ up the numbers from 1 to 20. 1부터 20까지의 수를 더해라.

8 Can you _____ the work in a day? 너는 그 일을 하루에 **끝낼** 수 있니?

9 I like her _____ _____. 나는 그녀의 **아름다운 미소**를 좋아한다.

누적 테스트 Unit 12~13의 주요 단어입니다. 우리말 뜻에 맞는 영어 단어를 쓰세요.

1 도착하다		**9** 뇌, 머리	
2 두 사람, 커플		**10** 미소; 미소 짓다	
3 무리, 그룹		**11** 같은	
4 돈		**12** 강한, 튼튼한	
5 만들다		**13** 확인하다	
6 돕다		**14** 시작하다	
7 …시		**15** 시간, 때	
8 휴식; 휴식을 취하다		**16** 세계, 세상	

01 catch
[kætʃ]
(동) 잡다

05 invent
[invént]
(동) 발명하다

> '발명품'이라는 의미를 나타내는 단어는 invention 이에요.

02 double
[dʌ́bl]
(형) 두 배의, 2인용의
(명) 두 배

06 today
[tədéi]
(부) 오늘
(명) 오늘

03 drive
[draiv]
(동) 운전하다

07 look
[luk]
(동) 보다

> '…을 보다'라고 나타낼 때에는 look at으로 써요.

04 give
[giv]
(동) 주다

08 life
[laif]
(명) 삶, 생명

정말 진짜 용사인 거야?

⤸ 단어를 쓰며 철자와 뜻을 외우세요.

09 shoe
[ʃuː]

몡 신발, 구두

신발은 두 개가 한 쌍이므로 주로 복수형인 shoes로 써요.

10 store
[stɔːr]

몡 가게, 상점

11 sell
[sel]

동 팔다

12 number
[nʌ́mbər]

몡 숫자, 번호

13 sleep
[sliːp]

동 자다
몡 잠

14 paper
[péipər]

몡 종이

15 miss
[mis]

동 그리워하다, 놓치다

16 bark
[baːrk]

동 짖다

01 catch
- caught - caught

동 잡다

_____ me if you can.

할 수 있다면 나를 잡아봐.

02 double

형 두 배의, 2인용의
명 두 배

The couple bought a _____ bed.

그 부부는 2인용 침대를 샀다.

Six is the _____ of three.

6은 3의 두 배이다.

03 drive
- drove - driven

동 운전하다

불규칙 과거형으로 쓰세요.

The man _____ the car very fast.

그 남자는 차를 매우 빠르게 운전했다.

04 give
- gave - given

동 주다

Will you _____ the flower to your friend?

너는 네 친구에게 그 꽃을 줄 거니?

05 invent
- invented - invented

동 발명하다

Who _____ed the telephone?

누가 전화를 발명했니?

06 today

부 오늘
명 오늘

I have a *taekwondo* lesson _____.

나는 오늘 태권도 수업이 있다.

_____ is Friday, isn't it?

오늘은 금요일이지, 그렇지 않니?

07 look
- looked - looked

동 보다

_____ at the tall building!

저 높은 빌딩을 봐!

08 life
- lives

명 삶, 생명

The firefighter saved my _____.

그 소방관이 내 생명을 구했다.

09 shoe
명 신발, 구두

I like those light _____s.

나는 저 가벼운 신발이 좋다.

10 store
명 가게, 상점

Is there a shoe _____ nearby?

근처에 신발 가게가 있니?

11 sell
- sold - sold
동 팔다

They _____ nice shirts at the store.

그 가게에서는 멋진 셔츠들을 판다.

12 number
명 숫자, 번호

What is your phone _____?

네 전화번호는 뭐니?

13 sleep
- slept - slept
동 자다
명 잠

Dora couldn't _____ well last night.

Dora는 어젯밤에 잠을 잘 잘 수 없었다.

I need to get some _____.

나는 잠을 좀 자야 한다.

14 paper
명 종이

Mina drew a heart on the _____.

미나는 종이 위에 하트 모양을 그렸다.

15 miss
- missed - missed
동 그리워하다, 놓치다

I will _____ you so much.

나는 너를 정말 많이 그리워할 거야.

She _____ed the last train.

그녀는 마지막 기차를 놓쳤다.

16 bark
- barked - barked
동 짖다

The dog always _____s at me.

그 개는 항상 나에게 짖는다.

BARK
BARK

A 우리말은 영어로, 영어는 우리말로 쓰세요.

1	오늘	_____	9 look	_____
2	두 배의; 두 배	_____	10 sleep	_____
3	숫자, 번호	_____	11 catch	_____
4	종이	_____	12 miss	_____
5	신발, 구두	_____	13 invent	_____
6	운전하다	_____	14 bark	_____
7	삶, 생명	_____	15 give	_____
8	가게, 상점	_____	16 sell	_____

B 괄호 안에서 알맞은 단어를 고르세요.

1 Is there a shoe (stair / store) nearby? 근처에 신발 가게가 있니?

2 I will (miss / meet) you so much. 나는 너를 정말 많이 그리워할 거야.

3 Will you (give / get) the flower to your friend? 너는 네 친구에게 그 꽃을 줄 거니?

C 주어진 상자에서 알맞은 단어를 골라 문장을 완성하세요.

invented	drove	sleep	barks

1 Who _____ the telephone? 누가 전화를 발명했니?

2 Dora couldn't _____ well last night. Dora는 어젯밤에 잠을 잘 잘 수 없었다.

3 The man _____ the car very fast. 그 남자는 차를 매우 빠르게 운전했다.

4 The dog always _____ at me. 그 개는 항상 나에게 짖는다.

정답 p. 168

D 우리말 뜻을 보고, 문장을 완성하세요.

1 I like those light _____. 나는 저 가벼운 신발이 좋다.

2 _____ me if you can. 할 수 있다면 나를 잡아봐.

3 Six is the _____ of three. 6은 3의 두 배이다.

4 What is your phone _____? 네 전화번호는 뭐니?

5 _____ is Friday, isn't it? 오늘은 금요일이지, 그렇지 않니?

6 _____ at the tall building! 저 높은 빌딩을 봐!

7 Mina drew a heart on the _____. 미나는 종이 위에 하트 모양을 그렸다.

8 The firefighter saved my _____. 그 소방관이 내 생명을 구했다.

9 They _____ nice shirts at the _____. 그 가게에서는 멋진 셔츠들을 판다.

누적 테스트 Unit 13~14의 주요 단어입니다. 우리말 뜻에 맞는 영어 단어를 쓰세요.

1	아름다운	**9**	잡다
2	색, 빛깔	**10**	운전하다
3	아픈, 병든	**11**	발명하다
4	떨어뜨리다, 떨어지다	**12**	보다
5	식당	**13**	팔다
6	끝내다, 끝나다	**14**	자다; 잠
7	길, 방법	**15**	그리워하다, 놓치다
8	더하다, 추가하다	**16**	짓다

Unit 15

Step 1 단어와 뜻 익히기

01 basket ⑲ 바구니
[bǽskit]

05 event ⑲ 사건, 행사
[ivént]

02 beach ⑲ 해변
[biːtʃ]

06 hungry ⑱ 배고픈
[hʌ́ŋgri]

03 use [juːz] ⑧ 사용하다
[juːs] ⑲ 사용

> 동사일 때와 명사일 때 발음이 다른 것에 유의하세요.

07 half ⑲ 반, 절반
[hæf]

04 deep ⑱ 깊은
[diːp]

08 knee ⑲ 무릎
[niː]

> half에서 l, knee에서 k는 소리 나지 않아요.

가는 게 있으면 오는 게 있는 법.

많이 hungry하구나.

half 밖에 안 남았지만, 이거라도 먹어.

고마워. 내가 보답으로 용의 눈물을 구해줄게.

정말?

09 live
[liv] 동 살다
[laiv] 형 살아 있는, 생방송의

> 동사일 때와 형용사일 때 발음이 다른 것에 유의하세요.

13 send
[send] 동 보내다

10 middle
[mídl] 명 한가운데

14 season
[síːzn] 명 계절

11 music
[mjúːzik] 명 음악

15 police
[pəlíːs] 명 경찰

12 people
[píːpl] 명 사람들

16 tomorrow
[təmɔ́ːrou] 부 내일
명 내일

01 **basket** 　명 바구니

This _____ is made of wood.
이 바구니는 나무로 만들어졌다.

02 **beach** 　명 해변

We saw the ship at the _____.
우리는 해변에서 그 배를 보았다.

03 **use**
- used - used
명 사용하다
명 사용

My brother _____s the computer too much.
내 남동생은 컴퓨터를 너무 많이 사용한다.

The _____ of cellphones in class is not allowed. 수업 중 휴대전화의 사용은 허용되지 않는다.

04 **deep** 　형 깊은

Watch out! The pool is very _____.
조심해! 웅덩이가 매우 깊어.

05 **event** 　명 사건, 행사

The concert is the main _____ at our festival. 그 콘서트는 우리 축제의 주요 행사이다.

06 **hungry** 　형 배고픈

Are you _____ now?
너는 지금 배고프니?

07 **half**
- halves
명 반, 절반

Two is _____ of four.
2는 4의 절반이다.

08 **knee** 　명 무릎

The boy fell and hurt his _____.
그 소년은 넘어져서 무릎을 다쳤다.

09 live
- lived - lived

동 살다
형 살아 있는, 생방송의

The man _____d a happy life.

그 남자는 행복한 삶을 살았다.

Is the show _____ or recorded?

그 쇼는 생방송이니, 아니면 녹화 방송이니?

10 middle

명 한가운데

There is a park in the _____ of the town.

마을 한가운데에 공원이 하나 있다.

11 music

명 음악

Do you like K-pop _____?

너는 K팝 음악을 좋아하니?

12 people

명 사람들

How many _____ were at the party?

그 파티에는 얼마나 많은 사람들이 있었니?

13 send
- sent - sent

동 보내다

I'll _____ you a text message.

내가 너에게 문자 메시지를 보낼게.

14 season

명 계절

Fall is a good _____ for reading.

가을은 독서하기에 좋은 계절이다.

15 police

명 경찰

A woman asked the _____ for help.

한 여자가 경찰에게 도움을 요청했다.

16 tomorrow

부 내일
명 내일

Are you free _____?

너 내일 시간 있니?

I'll finish the work by _____.

나는 내일까지 그 일을 끝낼 것이다.

A 우리말은 영어로, 영어는 우리말로 쓰세요.

1	배고픈		9	people
2	무릎		10	middle
3	음악		11	basket
4	사용하다; 사용		12	half
5	경찰		13	deep
6	살다; 살아 있는		14	beach
7	내일		15	season
8	사건, 행사		16	send

B 괄호 안에서 알맞은 단어를 고르세요.

1 Are you (hungry / angry) now? 너는 지금 배고프니?

2 The man (liked / lived) a happy life. 그 남자는 행복한 삶을 살았다.

3 The concert is the main (event / evening) at our festival. 그 콘서트는 우리 축제의 주요 행사이다.

C 주어진 상자에서 알맞은 단어를 골라 문장을 완성하세요.

music	knee	basket	police

1 Do you like K-pop _____? 너는 K팝 음악을 좋아하니?

2 This _____ is made of wood. 이 바구니는 나무로 만들어졌다.

3 The boy fell and hurt his _____. 그 소년은 넘어져서 무릎을 다쳤다.

4 A woman asked the _____ for help. 한 여자가 경찰에게 도움을 요청했다.

정답 p. 168

D 우리말 뜻을 보고, 문장을 완성하세요.

1 Two is _____ of four. 2는 4의 절반이다.

2 Are you free _____ ? 너 내일 시간 있니?

3 How many _____ were at the party? 그 파티에는 얼마나 많은 **사람들**이 있었니?

4 We saw the ship at the _____. 우리는 해변에서 그 배를 보았다.

5 Watch out! The pool is very _____. 조심해! 웅덩이가 매우 깊어.

6 Fall is a good _____ for reading. 가을은 독서하기에 좋은 **계절**이다.

7 I'll _____ you a text message. 내가 너에게 문자 메시지를 보낼게.

8 My brother _____ the computer too much. 내 남동생은 컴퓨터를 너무 많이 **사용한다**.

9 There is a park in the _____ of the town. 마을 한가운데에 공원이 하나 있다.

누적 테스트 Unit 14~15의 주요 단어입니다. 우리말 뜻에 맞는 영어 단어를 쓰세요.

1	두 배의; 두 배	9	바구니
2	주다	10	해변
3	오늘	11	사건, 행사
4	삶, 생명	12	반, 절반
5	신발, 구두	13	한가운데
6	가게, 상점	14	음악
7	숫자, 번호	15	계절
8	종이	16	내일

Unit 16

01 earth
[əːrθ]
명 지구, 땅

02 skin
[skin]
명 피부

03 learn
[ləːrn]
동 배우다

04 street
[striːt]
명 거리

05 need
[niːd]
동 필요하다

06 plan
[plæn]
명 계획
동 계획하다

07 road
[roud]
명 길, 도로

08 show
[ʃou]
동 보여주다

이 용사를 믿어도 되는 걸까?

↙ 단어를 쓰며 철자와 뜻을 외우세요.

⁰⁹ single
[síŋgl]
(형) 단 하나의, 혼자의

¹³ tell
[tel]
(동) 말하다

¹⁰ garden
[gáːrdn]
(명) 정원

¹⁴ yesterday
[jéstərdèi]
(부) 어제
(명) 어제

> today(오늘), tomorrow (내일)와 함께 알아 두세요.

¹¹ stamp
[stæmp]
(명) 우표, 스탬프

¹⁵ window
[wíndou]
(명) 창문

¹² mild
[maild]
(형) 온화한, 부드러운

¹⁶ young
[jʌŋ]
(형) 젊은, 어린

> 반대말로 '나이가 많은, 늙 은'이라는 뜻을 나타내는 단어는 old예요.

01 earth · 명 지구, 땅

The _____ is like a blue marble.

지구는 파란 구슬처럼 생겼다.

02 skin · 명 피부

The girl has clear _____.

그 소녀는 깨끗한 피부를 가지고 있다.

03 learn · 동 배우다
- learned - learned
- learnt - learnt

Kids _____ a lot from their parents.

아이들은 부모에게서 많은 것을 배운다.

04 street · 명 거리

Cross the _____ and turn left.

그 거리를 건너서 왼쪽으로 도세요.

05 need · 동 필요하다
- needed - needed

We _____ water to live.

우리는 살기 위해 물이 필요하다.

06 plan · 명 계획 · 동 계획하다
- planned - planned

Do you have a _____ for the summer?

너는 여름에 무슨 계획이 있니?

Fred _____ned to learn Spanish.

Fred는 스페인어를 배울 계획이었다.

07 road · 명 길, 도로

Where is the main _____?

주요 도로는 어디인가요?

08 show · 동 보여주다
- showed
- showed[shown]

He _____ed me his pictures.

그는 나에게 그의 사진들을 보여주었다.

09 **single**
형 단 하나의, 혼자의

He didn't say a _____ word.

그는 단 한 마디도 말하지 않았다.

10 **garden**
명 정원

Your _____ looks beautiful.

네 정원은 아름다워 보여.

11 **stamp**
명 우표, 스탬프

My hobby is collecting _____s.

내 취미는 우표를 모으는 것이다.

12 **mild**
형 온화한, 부드러운

It's very _____ today.

오늘은 날씨가 매우 온화하다.

13 **tell**
- told - told

동 말하다

Please _____ me your email address.

나에게 당신의 이메일 주소를 말해주세요.

14 **yesterday**
부 어제
명 어제

I went to the dentist _____.

나는 어제 치과에 다녀왔다.

_____ was my birthday.

어제는 내 생일이었다.

15 **window**
명 창문

Who broke the _____?

누가 창문을 깼니?

16 **young**
형 젊은, 어린

The _____ man carried my box.

그 젊은 남자가 내 상자를 옮겨주었다.

A 우리말은 영어로, 영어는 우리말로 쓰세요.

1 배우다 _____

2 젊은, 어린 _____

3 보여주다 _____

4 지구, 땅 _____

5 어제 _____

6 계획; 계획하다 _____

7 정원 _____

8 우표, 스탬프 _____

9 single _____

10 mild _____

11 road _____

12 window _____

13 tell _____

14 need _____

15 skin _____

16 street _____

B 괄호 안에서 알맞은 단어를 고르세요.

1 We (need / meet) water to live. 우리는 살기 위해 물이 필요하다.

2 My hobby is collecting (storms / stamps). 내 취미는 우표를 모으는 것이다.

3 Please (sell / tell) me your email address. 나에게 당신의 이메일 주소를 말해주세요.

C 주어진 상자에서 알맞은 단어를 골라 문장을 완성하세요.

window	earth	garden	street

1 Your _____ looks beautiful. 네 정원은 아름다워 보여.

2 Who broke the _____? 누가 창문을 깼니?

3 The _____ is like a blue marble. 지구는 파란 구슬처럼 생겼다.

4 Cross the _____ and turn left. 그 거리를 건너서 왼쪽으로 도세요.

정답 p. 169

D 우리말 뜻을 보고, 문장을 완성하세요.

1 It's very _____ today. 오늘은 날씨가 매우 온화하다.

2 He _____ me his pictures. 그는 나에게 그의 사진들을 보여주었다.

3 Kids _____ a lot from their parents. 아이들은 부모에게서 많은 것을 배운다.

4 He didn't say a _____ word. 그는 단 한 마디도 말하지 않았다.

5 The _____ man carried my box. 그 젊은 남자가 내 상자를 옮겨주었다.

6 _____ was my birthday. 어제는 내 생일이었다.

7 The girl has clear _____. 그 소녀는 깨끗한 **피부**를 가지고 있다.

8 Do you have a _____ for the summer? 너는 여름에 무슨 계획이 있니?

9 Where is the main _____? 주요 도로는 어디인가요?

누적 테스트 Unit 15~16의 주요 단어입니다. 우리말 뜻에 맞는 영어 단어를 쓰세요.

1	사용하다; 사용	9	피부
2	깊은	10	거리
3	배고픈	11	필요하다
4	무릎	12	길, 도로
5	살다; 살아 있는, 생방송의	13	단 하나의, 혼자의
6	사람들	14	우표, 스탬프
7	보내다	15	어제
8	경찰	16	젊은, 어린

주제별 어휘 운동

football 명 미식축구

volleyball 명 배구

tennis 명 테니스

badminton 명 배드민턴

jogging 명 조깅

swimming 명 수영

skating 명 스케이팅

bowling 명 볼링

skiing 명 스키

team 명 팀

coach 명 코치

player 명 선수

01 football 명 미식축구   **Football** is very popular in Canada.
미식축구는 캐나다에서 매우 인기있다.

02 volleyball 명 배구   They're playing volleyball in the sand.
그들은 모래사장에서 배구를 하고 있다.

03 tennis 명 테니스   He is my tennis partner.
그는 나의 테니스 파트너이다.

04 badminton 명 배드민턴   Badminton is easy to learn.
배드민턴은 배우기 쉽다.

05 jogging 명 조깅   We go jogging every morning.
우리는 매일 아침 조깅을 한다.

06 swimming 명 수영   I went swimming yesterday.
나는 어제 수영하러 갔다.

07 skating 명 스케이팅   Are you good at skating?
너는 스케이트를 잘타니?

08 bowling 명 볼링   He became a bowling champion.
그는 볼링 챔피언이 되었다.

09 skiing 명 스키   I enjoy skiing in winter.
나는 겨울에 스키를 즐긴다.

10 team 명 팀   She plays on the basketball team.
그녀는 농구팀에서 활동하고 있다.

11 coach 명 코치   You are a good soccer coach.
너는 좋은 축구 코치이다.

12 player 명 선수   Sam wants to be a baseball player.
Sam은 야구 선수가 되고 싶어한다.

Unit 17

01 base
[beis]
⑲ 기초, 맨 아래 부분

05 brave
[breiv]
⑲ 용감한

02 carry
[kǽri]
⑲ 나르다, 휴대하다

06 future
[fjúːtʃər]
⑲ 미래

03 prince
[prins]
⑲ 왕자

'공주'는 princess라고
써요.

07 floor
[flɔːr]
⑲ 바닥, 층

04 believe
[bilíːv]
⑲ 믿다

08 cover
[kʌ́vər]
⑲ 덮다, 가리다

용을 잡으려면 체력을 키우자!

그럼, 정말 brave할 거야. 너라면 혼자 올 수 있어?

당연하지! future의 용사가 될 나를 무시하냐! 나를 believe해 봐!

자자, 그만하고 어서 자. 내일 용을 잡으려면 푹 자둬야 해.

↙ 단어를 쓰며 철자와 뜻을 외우세요.

09 gym
[dʒim]
몡 체육관

> gymnasium이라고 쓰기도 해요.

13 joke
[dʒouk]
몡 농담

10 health
[helθ]
몡 건강

14 laugh
[læf]
통 웃다

> 소리 내서 웃을 때 주로 laugh를 써요.

11 dead
[ded]
혱 죽은

15 listen
[lísn]
통 듣다

12 hospital
[háspitl]
몡 병원

16 noise
[nɔiz]
몡 소리, 소음

01 base
(명) 기초, 맨 아래 부분

The bed has a wooden _____.

그 침대는 맨 아래 부분이 나무로 되어 있다.

02 carry
- carried - carried
(동) 나르다, 휴대하다

Can you _____ this box for me?

나를 위해 이 상자를 옮겨줄 수 있니?

I always _____ my laptop computer.

나는 항상 노트북 컴퓨터를 휴대하고 다닌다.

03 prince
(명) 왕자

The _____ married Cinderella.

그 왕자는 신데렐라와 결혼했다.

04 believe
- believed - believed
(동) 믿다

Tim _____d his parents.

Tim은 부모님을 믿었다.

05 brave
(형) 용감한

The _____ boys saved a girl from the fire.

그 용감한 소년들이 화재에서 한 소녀를 구했다.

06 future
(명) 미래

We need to plan for the _____.

우리는 미래를 계획해야 한다.

07 floor
(명) 바닥, 층

Don't sit on the _____.

바닥에 앉지 마라.

My classroom is on the second _____.

우리 교실은 2층에 있다.

08 cover
- covered - covered
(동) 덮다, 가리다

Ellen _____ed her face
with her hands.

Ellen은 두 손으로 얼굴을 가렸다.

09 gym

(명) 체육관

I played basketball in the _____.

나는 체육관에서 농구를 했다.

10 health

(명) 건강

Vegetables are good for your _____.

채소는 건강에 좋다.

11 dead

(형) 죽은

Mr. Jackson is _____. He died last month.

Jackson 씨는 죽었다. 그는 지난달에 사망했다.

12 hospital

(명) 병원

I went to _____ last night.

나는 어젯밤에 병원에 입원했다.

13 joke

(명) 농담

Don't be angry. It's just a _____.

화내지 마. 그건 그냥 농담이야.

14 laugh
- laughed - laughed

(동) 웃다

Your jokes make me _____.

네 농담들은 나를 웃게 만든다.

15 listen
- listened - listened

(동) 듣다

Jack likes to _____ to music.

Jack은 음악 듣는 것을 좋아한다.

16 noise

(명) 소리, 소음

The children made too much _____.

그 아이들은 너무 많은 소음을 냈다.

A 우리말은 영어로, 영어는 우리말로 쓰세요.

1 건강	_____	9 cover	_____
2 믿다	_____	10 joke	_____
3 죽은	_____	11 base	_____
4 병원	_____	12 noise	_____
5 용감한	_____	13 future	_____
6 웃다	_____	14 gym	_____
7 바닥, 층	_____	15 listen	_____
8 왕자	_____	16 carry	_____

B 괄호 안에서 알맞은 단어를 고르세요.

1 Don't be angry. It's just a (joke / joy).   화내지 마. 그건 그냥 농담이야.

2 Mr. Jackson is (dead / ahead). He died last month.   Jackson 씨는 죽었다. 그는 지난달에 사망했다.

3 The children made too much (nose / noise).   그 아이들은 너무 많은 소음을 냈다.

C 주어진 상자에서 알맞은 단어를 골라 문장을 완성하세요.

prince listen carry gym

1 Jack likes to _____ to music.   Jack은 음악 듣는 것을 좋아한다.

2 The _____ married Cinderella.   그 왕자는 신데렐라와 결혼했다.

3 I played basketball in the _____.   나는 체육관에서 농구를 했다.

4 Can you _____ this box for me?   나를 위해 이 상자를 옮겨줄 수 있니?

정답 p. 169

D 우리말 뜻을 보고, 문장을 완성하세요.

1 Don't sit on the _____ . 바닥에 앉지 마라.

2 Tim _____ his parents. Tim은 부모님을 믿었다.

3 Vegetables are good for your _____ . 채소는 건강에 좋다.

4 We need to plan for the _____ . 우리는 미래를 계획해야 한다.

5 Ellen _____ her face with her hands. Ellen은 두 손으로 얼굴을 가렸다.

6 The bed has a wooden _____ . 그 침대는 맨 아래 부분이 나무로 되어 있다.

7 I went to _____ last night. 나는 어젯밤에 병원에 입원했다.

8 Your _____ make me _____ . 네 농담들은 나를 웃게 만든다.

9 The _____ boys saved a girl from the fire.

그 용감한 소년들이 화재에서 한 소녀를 구했다.

누적 테스트 Unit 16~17의 주요 단어입니다. 우리말 뜻에 맞는 영어 단어를 쓰세요.

1	지구, 땅	9	기초, 맨 아래 부분
2	배우다	10	나르다, 휴대하다
3	계획; 계획하다	11	미래
4	보여주다	12	덮다, 가리다
5	정원	13	체육관
6	온화한, 부드러운	14	죽은
7	말하다	15	웃다
8	창문	16	소리, 소음

Unit 18

01 bright
[brait]
형 밝은, 똑똑한

05 hike
[haik]
명 하이킹, 도보 여행

02 climb
[klaim]
동 오르다

> bright에서 gh, climb에서 b는 소리 나지 않아요.

06 turn
[təːrn]
동 돌다, 돌리다

03 little
[lítl]
형 작은, 어린

07 lesson
[lésn]
명 수업

04 fun
[fʌn]
명 재미, 장난

08 dirty
[dɔ́ːrti]
형 더러운

> 반대말로 '깨끗한'이라는 뜻을 나타내는 단어는 clean이에요.

이제 웅이 있는 곳으로 Go!

웅의 늑스리야!

크르··

헉!!

으~ 늑스리도 dirty하군.

저쪽에서 스리가 나는 것 같아.

오른쪽으로 turn해서 가자.

단어를 쓰며 철자와 뜻을 외우세요.

⁰⁹ nail
[neil]
⑲ 손톱, 발톱

¹³ invite
[inváit]
⑧ 초대하다

¹⁰ pass
[pæs]
⑧ 지나가다, 합격하다

¹⁴ visit
[vízit]
⑧ 방문하다

> invite(초대하다)와 visit (방문하다)는 헷갈리기 쉬우니 유의하세요.

¹¹ science
[sáiəns]
⑲ 과학

¹⁵ wise
[waiz]
⑲ 현명한, 지혜로운

¹² stay
[stei]
⑧ 머무르다

¹⁶ write
[rait]
⑧ 쓰다

Step 2 예문 속 단어 익히기

01 bright ⟨형⟩ 밝은, 똑똑한

The room is ⬚⬚⬚ with sunshine.
그 방은 햇빛 때문에 밝다.

Harry is a ⬚⬚⬚ student.
Harry는 똑똑한 학생이다.

02 climb ⟨동⟩ 오르다
- climbed - climbed

Do you like to ⬚⬚⬚ mountains?
너는 산에 오르는 것을 좋아하니?

03 little ⟨형⟩ 작은, 어린

There is a ⬚⬚⬚ house near the beach.
해변 근처에 작은 집이 하나 있다.

The ⬚⬚⬚ boy smiled at me.
그 어린 소년은 나를 향해 미소 지었다.

04 fun ⟨명⟩ 재미, 장난

This game looks like ⬚⬚⬚ !
이 게임은 재미있어 보여!

05 hike ⟨명⟩ 하이킹, 도보 여행

I went on a ⬚⬚⬚ with my friends.
나는 친구들과 도보 여행을 갔다.

06 turn ⟨동⟩ 돌다, 돌리다
- turned - turned

The moon ⬚⬚⬚s around the earth. 달은 지구 주위를 돈다.

07 lesson ⟨명⟩ 수업

What did we do last ⬚⬚⬚ ?
우리는 지난 수업에서 무엇을 했니?

08 dirty ⟨형⟩ 더러운

Can you wash the ⬚⬚⬚ shirts?
그 더러운 셔츠들을 세탁해 주겠니?

⁰⁹**nail**
명 손톱, 발톱
You need to cut your _____s.
넌 손톱을 깎아야 해.

¹⁰**pass**
- passed - passed
동 지나가다, 합격하다
A group of girls _____ed the gate.
한 무리의 소녀들이 그 문을 지나갔다.
I _____ed the English test.
나는 영어 시험에 합격했다.

¹¹**science**
명 과학
Jisu is interested in _____.
지수는 과학에 흥미가 있다.

¹²**stay**
- stayed - stayed
동 머무르다
You can _____ here if you want.
네가 원한다면 넌 이곳에 머물러도 돼.

¹³**invite**
- invited - invited
동 초대하다
She will _____ her friends for the weekend.
그녀는 주말에 친구들을 초대할 것이다.

¹⁴**visit**
- visited - visited
동 방문하다
We _____ed some museums in London.
우리는 런던에서 박물관을 몇 곳 방문했다.

¹⁵**wise**
형 현명한, 지혜로운
Mr. Han gave us _____ advice.
한선생님은 우리에게 현명한 충고를 해주셨다.

¹⁶**write**
- wrote - written
동 쓰다
The little girl can read and _____.
그 어린 소녀는 읽고 쓸 수 있다.

A 우리말은 영어로, 영어는 우리말로 쓰세요.

1	과학	_____	9	turn	_____
2	수업	_____	10	hike	_____
3	쓰다	_____	11	wise	_____
4	초대하다	_____	12	stay	_____
5	더러운	_____	13	nail	_____
6	오르다	_____	14	bright	_____
7	방문하다	_____	15	pass	_____
8	재미, 장난	_____	16	little	_____

B 괄호 안에서 알맞은 단어를 고르세요.

1 A group of girls (pulled / passed) the gate.   한 무리의 소녀들이 그 문을 지나갔다.

2 Jisu is interested in (science / licence).   지수는 과학에 흥미가 있다.

3 There is a (little / middle) house near the beach.   해변 근처에 작은 집이 하나 있다.

C 주어진 상자에서 알맞은 단어를 골라 문장을 완성하세요.

stay	hike	turns	nails

1 I went on a _____ with my friends.   나는 친구들과 도보 여행을 갔다.

2 The moon _____ around the earth.   달은 지구 주위를 돈다.

3 You need to cut your _____.   넌 손톱을 깎아야 해.

4 You can _____ here if you want.   네가 원한다면 넌 이곳에 머물러도 돼.

정답 p. 169

D 우리말 뜻을 보고, 문장을 완성하세요.

1 This game looks like _____ ! 이 게임은 재미있어 보여!

2 Mr. Han gave us _____ advice. 한선생님은 우리에게 **현명한** 충고를 해주셨다.

3 What did we do last _____ ? 우리는 지난 **수업**에서 무엇을 했니?

4 The room is _____ with sunshine. 그 방은 햇빛 때문에 **밝다**.

5 Do you like to _____ mountains? 너는 산에 **오르는** 것을 좋아하니?

6 Can you wash the _____ shirts? 그 **더러운** 셔츠들을 세탁해 주겠니?

7 We _____ some museums in London. 우리는 런던에서 박물관을 몇 곳 **방문했다**.

8 The _____ girl can read and _____ . 그 **어린** 소녀는 읽고 **쓸** 수 있다.

9 She will _____ her friends for the weekend. 그녀는 주말에 친구들을 **초대할** 것이다.

누적 테스트 Unit 17~18의 주요 단어입니다. 우리말 뜻에 맞는 영어 단어를 쓰세요.

1	왕자	9	밝은, 똑똑한
2	믿다	10	작은, 어린
3	용감한	11	돌다, 돌리다
4	바닥, 층	12	수업
5	건강	13	손톱, 발톱
6	병원	14	머무르다
7	농담	15	현명한, 지혜로운
8	듣다	16	쓰다

Unit 19

01 human 형 인간의
[hjú:mən]

05 corner 명 모서리, 모퉁이
[kɔ́:rnər]

02 birth 명 탄생, 출생
[bə:rθ]

> birth(출생)+day(일) =
> birthday(출생일, 생일)

06 find 동 찾다, 발견하다
[faind]

03 burn 동 불에 타다
[bə:rn]

07 diary 명 일기
[dáiəri]

04 clear 형 맑은, 확실한
[kliər]

08 dear 형 소중한, …에게
[diər]

> 편지를 쓸 때 Dear로
> 시작하는 경우가 많아요.

정말 용을 잡을 수 있을까?

↙ 단어를 쓰며 철자와 뜻을 외우세요.

⁰⁹ glove
[glʌv]

⑲ 장갑

¹³ lend
[lend]

⑧ 빌려주다

¹⁰ ground
[graund]

⑲ 땅, 땅바닥

¹⁴ light
[lait]

⑲ 빛, 전등
⑲ 가벼운

> light에서 gh는 소리 나지 않아요.

¹¹ heaven
[hévən]

⑲ 하늘, 천국

¹⁵ nod
[nɑd]

⑧ (고개를) 끄덕이다

¹² borrow
[bárou]

⑧ 빌리다

¹⁶ part
[pɑːrt]

⑲ 일부, 부분

Step 2 예문 속 단어 익히기

01 human 　 ⑲ 인간의

The _____ brain is amazing.

인간의 뇌는 놀랍다.

02 birth 　 ⑲ 탄생, 출생

She gave _____ to a baby girl.

그녀는 여자아이를 낳았다.

03 burn
- burned - burned
- burnt - burnt
　 ⑲ 불에 타다

The house _____ed down.

그 집은 불에 다 타버렸다.

04 clear 　 ⑲ 맑은, 확실한

The sky is _____ and blue.

하늘은 맑고 푸르다.

It's _____ that he is wrong.

그가 틀린 것은 확실하다.

05 corner 　 ⑲ 모서리, 모퉁이

The bakery is at the _____.

그 빵집은 길모퉁이에 있다.

06 find
- found - found
　 ⑲ 찾다, 발견하다

〔불규칙 과거형으로 쓰세요〕

I _____ my key under the bed.

나는 침대 밑에서 열쇠를 찾았다.

07 diary
- diaries
　 ⑲ 일기

Do you write your _____

every day? 너는 매일 일기를 쓰니?

08 dear 　 ⑲ 소중한, …에게

This is my _____ daughter, Anne.

이 아이가 나의 소중한 딸인 Anne입니다.

_____ Mr. Brown

Brown 씨에게

09 glove

명 장갑

I bought a pair of _____s.

나는 장갑 한 켤레를 샀다.

10 ground

명 땅, 땅바닥

The boy was lying on the _____.

그 소년은 땅바닥에 누워 있었다.

11 heaven

명 하늘, 천국

His son was a gift from _____.

그의 아들은 하늘에서 온 선물이었다.

12 borrow
- borrowed - borrowed

동 빌리다

Can I _____ your cellphone?

네 휴대전화를 좀 빌려도 되니?

13 lend
- lent - lent

동 빌려주다

I didn't _____ my cellphone to him.

나는 그에게 내 휴대전화를 빌려주지 않았다.

14 light

명 빛, 전등
형 가벼운

Turn off the _____, please.

전등을 꺼주세요.

The kid was as _____ as
a feather. 그 아이는 깃털처럼 가벼웠다.

15 nod
- nodded - nodded

동 (고개를) 끄덕이다

She _____ded and said hello.

그녀는 고개를 끄덕이며 인사했다.

16 part

명 일부, 부분

I did the hard _____ of the job.

나는 그 일의 힘든 부분을 했다.

A 우리말은 영어로, 영어는 우리말로 쓰세요.

1	하늘, 천국	_____	9	burn	_____
2	일기	_____	10	birth	_____
3	모서리, 모퉁이	_____	11	human	_____
4	맑은, 확실한	_____	12	find	_____
5	장갑	_____	13	dear	_____
6	빛; 가벼운	_____	14	borrow	_____
7	땅, 땅바닥	_____	15	lend	_____
8	일부, 부분	_____	16	nod	_____

B 괄호 안에서 알맞은 단어를 고르세요.

1 The (human / humor) brain is amazing. 인간의 뇌는 놀랍다.

2 I did the hard (park / part) of the job. 나는 그 일의 힘든 부분을 했다.

3 I (found / pound) my key under the bed. 나는 침대 밑에서 열쇠를 찾았다.

C 주어진 상자에서 알맞은 단어를 골라 문장을 완성하세요.

gloves	ground	birth	light

1 She gave _____ to a baby girl. 그녀는 여자아이를 낳았다.

2 The boy was lying on the _____. 그 소년은 땅바닥에 누워 있었다.

3 Turn off the _____, please. 전등을 꺼주세요.

4 I bought a pair of _____. 나는 장갑 한 켤레를 샀다.

D 우리말 뜻을 보고, 문장을 완성하세요.

1 The house _____ down. 그 집은 불에 다 **타버렸다.**

2 His son was a gift from _____. 그의 아들은 **하늘**에서 온 선물이었다.

3 The sky is _____ and blue. 하늘은 **맑고** 푸르다.

4 The bakery is at the _____. 그 빵집은 **길모퉁이**에 있다.

5 I didn't _____ my cellphone to him. 나는 그에게 내 휴대전화를 **빌려주지** 않았다.

6 She _____ and said hello. 그녀는 **고개를 끄덕이며** 인사했다.

7 This is my _____ daughter, Anne. 이 아이가 나의 **소중한** 딸인 Anne입니다.

8 Can I _____ your cellphone? 네 휴대전화를 좀 **빌려도** 되니?

9 Do you write your _____ every day? 너는 매일 **일기를** 쓰니?

누적 테스트 Unit 18~19의 주요 단어입니다. 우리말 뜻에 맞는 영어 단어를 쓰세요.

1	오르다	9	인간의
2	재미, 장난	10	불에 타다
3	하이킹, 도보 여행	11	찾다, 발견하다
4	더러운	12	소중한, …에게
5	지나가다, 합격하다	13	장갑
6	과학	14	하늘, 천국
7	초대하다	15	빌려주다
8	방문하다	16	빛; 가벼운

01 bridge
[bridʒ]
명 다리

05 die
[dai]
동 죽다

02 calm
[kɑ:m]
형 침착한, 고요한

06 fight
[fait]
동 싸우다

> calm에서 l, know에서 k, fight에서 gh는 소리 나지 않아요.

03 close
[klous] 형 가까운
[klouz] 동 닫다

> 형용사일 때와 동사일 때 발음이 다른 것에 유의하세요.

07 fly
[flai]
동 날다, 비행하다

04 know
[nou]
동 알다

08 downtown
[dáuntáun]
부 시내에

용이 나타났다!

단어를 쓰며 철자와 뜻을 외우세요.

09 lucky
[lʌ́ki]
형 행운의, 운이 좋은

13 low
[lou]
형 낮은

10 wear
[wɛər]
동 입고 있다

14 mix
[miks]
동 섞다, 섞이다

11 kind
[kaind]
형 친절한

15 past
[pæst]
명 과거

'미래'는 future, '현재'
는 present라고 써요.

12 husband
[hʌ́zbənd]
명 남편

'부인'은 wife라고 써요.

16 grade
[greid]
명 학년, 성적

Step 2 예문 속 단어 익히기

01 bridge 　　　(명) 다리

I crossed the ▢▢▢▢ over the Thames River.

나는 템스강의 다리를 건넜다.

02 calm 　　　(형) 침착한, 고요한

I tried to stay ▢▢▢▢.

나는 침착하려고 애썼다.

Susan looked at the ▢▢▢▢ sea.

Susan은 고요한 바다를 바라보았다.

03 close
- closed - closed 　　　(형) 가까운 (동) 닫다

My house is ▢▢▢▢ to the school.

우리 집은 학교와 가깝다.

The store ▢▢▢▢s on Tuesdays.

그 가게는 화요일마다 문을 닫는다.

04 know
- knew - known 　　　(동) 알다

I don't ▢▢▢▢ the answer.

나는 그 답을 알지 못한다.

05 die
- died - died 　　　(동) 죽다

The man ▢▢▢▢d in a car accident.

그 남자는 자동차 사고로 죽었다.

06 fight
- fought - fought 　　　(동) 싸우다

My brothers are always ▢▢▢▢ing.

내 남동생들은 항상 싸운다.

07 fly
- flew - flown 　　　(동) 날다, 비행하다

Why can't chickens ▢▢▢▢?

왜 닭은 날 수 없나요?

08 downtown 　　　(부) 시내에

I often go ▢▢▢▢.

나는 종종 시내에 나간다.

09 lucky

형 행운의, 운이 좋은

We are _____ to have our teacher.

우리가 우리 선생님을 만난 것은 행운이다.

10 wear
- wore - worn

동 입고 있다

He is _____ing pajamas .

그는 잠옷을 입고 있다.

11 kind

형 친절한

My mother is _____ and wise.

우리 엄마는 친절하고 현명하시다.

12 husband

명 남편

She first met her _____ in 2012.

그녀는 자신의 남편을 2012년에 처음 만났다.

13 low

형 낮은

My desk is too _____.

내 책상은 너무 낮다.

14 mix
- mixed - mixed

동 섞다, 섞이다

_____ red and yellow,
and you will get orange.

빨간색과 노란색을 섞어라, 그러면 주황색을 얻게 될 것이다.

15 past

명 과거

You can't change the _____.

너는 과거를 바꿀 수 없다.

16 grade

명 학년, 성적

I'm in the first _____.

나는 1학년이다.

I got a good _____ on the math test.

나는 수학 시험에서 좋은 성적을 받았다.

A 우리말은 영어로, 영어는 우리말로 쓰세요.

1	학년, 성적	_____	9	fly	_____

1 학년, 성적 _____   **9** fly _____

2 다리 _____   **10** kind _____

3 행운의, 운이 좋은 _____   **11** past _____

4 침착한, 고요한 _____   **12** close _____

5 낮은 _____   **13** know _____

6 남편 _____   **14** downtown _____

7 싸우다 _____   **15** wear _____

8 섞다, 섞이다 _____   **16** die _____

B 괄호 안에서 알맞은 단어를 고르세요.

1 I don't (knock / know) the answer.   나는 그 답을 알지 못한다.

2 The man (died / dyed) in a car accident.   그 남자는 자동차 사고로 죽었다.

3 (Mix / Miss) red and yellow, and you will get orange.
빨간색과 노란색을 섞어라, 그러면 주황색을 얻게 될 것이다.

C 주어진 상자에서 알맞은 단어를 골라 문장을 완성하세요.

fighting   fly   wearing   low

1 My desk is too _____.   내 책상은 너무 낮다.

2 He is _____ pajamas.   그는 잠옷을 입고 있다.

3 Why can't chickens _____?   왜 닭은 날 수 없나요?

4 My brothers are always _____.   내 남동생들은 항상 싸운다.

정답 p. 170

D 우리말 뜻을 보고, 문장을 완성하세요.

1 I often go _____. 나는 종종 시내에 나간다.

2 I tried to stay _____. 나는 침착하려고 애썼다.

3 I'm in the first _____. 나는 1학년이다.

4 You can't change the _____. 너는 과거를 바꿀 수 없다.

5 The store _____ on Tuesdays. 그 가게는 화요일마다 문을 닫는다.

6 My mother is _____ and wise. 우리 엄마는 친절하고 현명하시다.

7 We are _____ to have our teacher. 우리가 우리 선생님을 만난 것은 행운이다.

8 She first met her _____ in 2012. 그녀는 자신의 남편을 2012년에 처음 만났다.

9 I crossed the _____ over the Thames River. 나는 템스강의 다리를 건넜다.

(누적) (테스트) **Unit 19~20의 주요 단어입니다. 우리말 뜻에 맞는 영어 단어를 쓰세요.**

1	탄생, 출생	9	다리
2	맑은, 확실한	10	가까운; 닫다
3	모서리, 모퉁이	11	죽다
4	일기	12	날다, 비행하다
5	땅, 땅바닥	13	행운의, 운이 좋은
6	빌리다	14	친절한
7	(고개를) 끄덕이다	15	낮은
8	일부, 부분	16	과거

주제별 어휘 동물

sheep 명 양

puppy 명 강아지

whale 명 고래

bear 명 곰

FARM

cow 명 암소, 젖소

dolphin 명 돌고래

bug 명 벌레, 작은 곤충

worm 명 벌레

SAFARI

tiger 명 호랑이

lion 명 사자

horse 명 말

elephant 명 코끼리

01 sheep
- sheep

(명) 양

There are hundreds of _____ on the hill.
언덕 위에 수백 마리의 양이 있다.

02 puppy
- puppies

(명) 강아지

Look at the cute _____.
저 귀여운 강아지를 봐.

03 bear

(명) 곰

The big _____ caught a fish.
커다란 곰이 물고기를 잡았다.

04 cow

(명) 암소, 젖소

There is a _____ on the road.
도로에 암소 한 마리가 있다.

05 whale

(명) 고래

The _____ is the largest animal in the world.
고래는 세상에서 가장 큰 동물이다.

06 dolphin

(명) 돌고래

The _____ can jump high above the water.
돌고래는 물 위로 높이 뛰어오를 수 있다.

07 tiger

(명) 호랑이

_____s usually hunt alone.
호랑이는 대개 홀로 사냥한다.

08 lion

(명) 사자

The _____ is the king of the jungle.
사자는 정글의 왕이다.

09 bug

(명) 벌레, 작은 곤충

Spiders and ants are called "_____s."
거미와 개미는 '벌레'라고 불린다.

10 worm

(명) 벌레

The early bird catches the _____.
일찍 일어나는 새가 벌레를 잡는다.

11 horse

(명) 말

The farmer had a _____.
그 농부는 말 한 마리가 있었다.

12 elephant

(명) 코끼리

An _____ has a long trunk.
코끼리는 코가 길다.

Unit 21

01 bone
[boun]
명 뼈

05 spring
[spriŋ]
명 봄

02 cage
[keidʒ]
명 새장, 우리

'새장'이라는 뜻을 나타낼 때 birdcage라고 쓰기도 해요.

06 lock
[lak]
동 잠그다

03 plant
[plænt]
명 식물
동 심다

07 sail
[seil]
동 항해하다

04 wash
[waʃ]
동 씻다

08 clock
[klak]
명 시계

'…시'라는 의미를 나타내는 o'clock과 구별해서 알아두세요.

채식을 하는 용이라고?

왜냐하면 내가 기분이 좋거든.

뭐라고? 기분이 나빴다면 우리 잡아 먹겠다는 거냐!

아 ….

저기 봐! 사람의 bone이야. 용이 잡아 먹었나 봐.

누가 누굴 먹어? 난 채식주의야. plant만 먹는다고!

크아아

⤵ 단어를 쓰며 철자와 뜻을 외우세요.

---

09 seed
[siːd]
(명) 씨, 씨앗

10 hold
[hould]
(동) 잡고 있다, 수용하다

11 stair
[stɛər]
(명) 계단

12 dive
[daiv]
(동) 뛰어들다, 다이빙하다

13 tie
[tai]
(동) 묶다

14 type
[taip]
(명) 유형, 종류

15 wait
[weit]
(동) 기다리다

'…을 기다리다'라는 뜻인 wait for의 형태로 자주 쓰여요.

16 tail
[teil]
(명) 꼬리

01 bone
명 뼈

We have over 200 _____s in our body.

우리는 몸 속에 200개 이상의 뼈를 가지고 있다.

02 cage
명 새장, 우리

The bird in the _____ is singing.

새장 안의 새가 노래하고 있다.

03 plant
- planted - planted
명 식물
동 심다

All _____s need light and water.

모든 식물들은 빛과 물이 필요하다.

We _____ed apple trees last year.

우리는 작년에 사과나무를 심었다.

04 wash
- washed - washed
동 씻다

_____ your hands before eating.

먹기 전에 손을 씻어라.

05 spring
명 봄

Many plants start to grow in _____.

많은 식물들이 봄에 자라기 시작한다.

06 lock
- locked - locked
동 잠그다

Did you _____ the door?

너는 문을 잠갔니?

07 sail
- sailed - sailed
동 항해하다

The ship was _____ing to China.

그 배는 중국으로 항해하고 있었다.

08 clock
명 시계

The _____ in my room is slow.

내 방에 있는 시계는 느리다.

09 **seed**

명 씨, 씨앗

Rice, wheat and corn are the _____s of plants. 쌀, 밀, 옥수수는 식물의 씨앗이다.

10 **hold**
- held - held

동 잡고 있다, 수용하다

_____ my hand.
내 손을 잡아라.

This stadium can _____ 10,000 people.
이 경기장은 만 명을 수용할 수 있다.

11 **stair**

명 계단

The man ran down the _____s.
그 남자는 계단을 뛰어 내려왔다.

12 **dive**
- dived - dived

동 뛰어들다, 다이빙하다

They _____d deep into the ocean.
그들은 바다 속 깊이 다이빙했다.

13 **tie**
- tied - tied

동 묶다

My little brother can _____ his shoes.
나의 어린 남동생은 신발끈을 묶을 수 있다.

14 **type**

명 유형, 종류

I like these _____s of movies.
나는 이런 종류의 영화를 좋아한다.

15 **wait**
- waited - waited

동 기다리다

I will _____ for you outside.
나는 밖에서 너를 기다릴게.

16 **tail**

명 꼬리

A monkey has a long _____.
원숭이는 긴 꼬리를 가지고 있다.

A 우리말은 영어로, 영어는 우리말로 쓰세요.

1 시계 _____

2 식물; 심다 _____

3 봄 _____

4 잡고 있다 _____

5 계단 _____

6 유형, 종류 _____

7 잠그다 _____

8 기다리다 _____

9 sail _____

10 tail _____

11 bone _____

12 seed _____

13 tie _____

14 dive _____

15 cage _____

16 wash _____

B 괄호 안에서 알맞은 단어를 고르세요.

1 The (clock / o'clock) in my room is slow. 내 방에 있는 시계는 느리다.

2 (Wash / Watch) your hands before eating. 먹기 전에 손을 씻어라.

3 Rice, wheat and corn are the (seas / seeds) of plants. 쌀, 밀, 옥수수는 식물의 씨앗이다.

C 주어진 상자에서 알맞은 단어를 골라 문장을 완성하세요.

plants	wait	tie	tail

1 All _____ need light and water. 모든 식물들은 빛과 물이 필요하다.

2 A monkey has a long _____. 원숭이는 긴 꼬리를 가지고 있다.

3 I will _____ for you outside. 나는 밖에서 너를 기다릴게.

4 My little brother can _____ his shoes. 나의 어린 남동생은 신발끈을 묶을 수 있다.

정답 p. 170

D 우리말 뜻을 보고, 문장을 완성하세요.

1 Did you _____ the door? 너는 문을 잠갔니?

2 They _____ deep into the ocean. 그들은 바다 속 깊이 다이빙했다.

3 The man ran down the _____. 그 남자는 계단을 뛰어 내려왔다.

4 I like these _____ of movies. 나는 이런 종류의 영화를 좋아한다.

5 The bird in the _____ is singing. 새장 안의 새가 노래하고 있다.

6 The ship was _____ to China. 그 배는 중국으로 항해하고 있었다.

7 This stadium can _____ 10,000 people. 이 경기장은 만 명을 수용할 수 있다.

8 We have over 200 _____ in our body. 우리는 몸 속에 200개 이상의 뼈를 가지고 있다.

9 Many _____ start to grow in _____. 많은 식물들이 봄에 자라기 시작한다.

누적 테스트 Unit 20~21의 주요 단어입니다. 우리말 뜻에 맞는 영어 단어를 쓰세요.

1	침착한, 고요한		9	뼈	
2	알다		10	씻다	
3	싸우다		11	항해하다	
4	시내에		12	시계	
5	입고 있다		13	씨, 씨앗	
6	남편		14	계단	
7	섞다, 섞이다		15	뛰어들다, 다이빙하다	
8	학년, 성적		16	묶다	

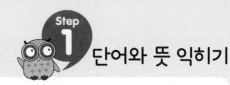

01 address 명 주소
[ǽdres]

02 image 명 이미지, 인상
[ímidʒ]

03 twin 명 쌍둥이
[twin] 형 쌍둥이의

04 grass 명 풀, 잔디
[græs]
> '유리, 컵'이라는 의미의 glass와 헷갈리지 않도록 유의하세요.

05 full 형 가득한
[ful]
> be full of(…으로 가득 차다)의 형태로 자주 쓰여요.

06 enjoy 동 즐기다
[indʒɔ́i]

07 hug 동 껴안다
[hʌg]

08 lazy 형 게으른
[léizi]

이 용은 소문하고는 다르네.

고기를 먹는 육식 용도 있고, 채소만 먹는 채식 용도 있지.

나 채식을 enjoy 하는 용이야.

말도 안돼. image는 정말 무서운데.

저기를 봐. 채소가 full하잖아.

단어를 쓰며 철자와 뜻을 외우세요.

09 leave
[liːv]
⟨동⟩ 떠나다

13 hurt
[həːrt]
⟨동⟩ 다치게 하다, 아프다

10 newspaper
[njúːzpèipər]
⟨명⟩ 신문

> 짧게 paper라고 쓰기도 해요.

14 pain
[pein]
⟨명⟩ 아픔, 통증

11 power
[páuər]
⟨명⟩ 힘

15 quiet
[kwáiət]
⟨형⟩ 조용한

12 problem
[prábləm]
⟨명⟩ 문제

16 daily
[déili]
⟨형⟩ 매일의, 일상적인

⁰¹**address**
- addresses

명 주소

Please write down your _____.
당신의 주소를 쓰세요.

⁰²**image**

명 이미지, 인상

He's a good singer with a clean _____.
그는 깨끗한 이미지를 가진 좋은 가수이다.

⁰³**twin**

명 쌍둥이
형 쌍둥이의

Sam and Jacky are _____s.
Sam과 Jacky는 쌍둥이이다.

I have a _____ sister.
나는 쌍둥이 언니가 있다.

⁰⁴**grass**
- grasses

명 풀, 잔디

Children are playing soccer on the _____.
아이들이 잔디밭에서 축구를 하고 있다.

⁰⁵**full**

형 가득한

My bag was _____ of books.
내 가방은 책으로 가득 차 있었다.

⁰⁶**enjoy**
- enjoyed - enjoyed

동 즐기다

I _____ playing with my cat.
나는 내 고양이와 노는 것을 즐긴다.

⁰⁷**hug**
- hugged - hugged

동 껴안다

They _____ged each other.
그들은 서로를 껴안았다.

⁰⁸**lazy**

형 게으른

The _____ man didn't do anything.
그 게으른 남자는 아무 일도 하지 않았다.

09 leave
- left - left

동 떠나다

Cinderella had to _____ at midnight.

신데렐라는 자정에 떠나야 했다.

10 newspaper

명 신문

Please bring me a _____.

저에게 신문을 가져다주세요.

11 power

명 힘

People believe in the _____ of love.

사람들은 사랑의 힘을 믿는다.

12 problem

명 문제

You can't solve the _____.

너는 그 문제를 풀 수 없다.

13 hurt
- hurt - hurt

동 다치게 하다, 아프다

불규칙 과거형으로 쓰세요.

Fred _____ his leg yesterday.

Fred는 어제 다리를 다쳤다.

My right arm _____s badly.

내 오른쪽 팔이 매우 아프다.

14 pain

명 아픔, 통증

I have a _____ in my neck.

나는 목에 통증이 있다.

15 quiet

형 조용한

Becky needs a _____ place to study.

Becky는 공부할 조용한 장소가 필요하다.

16 daily

형 매일의, 일상적인

His _____ life is quiet and happy.

그의 일상 생활은 조용하고 행복하다.

A 우리말은 영어로, 영어는 우리말로 쓰세요.

1 주소 _____

2 껴안다 _____

3 가득한 _____

4 게으른 _____

5 신문 _____

6 이미지, 인상 _____

7 아픔, 통증 _____

8 힘 _____

9 twin _____

10 leave _____

11 enjoy _____

12 hurt _____

13 grass _____

14 problem _____

15 quiet _____

16 daily _____

B 괄호 안에서 알맞은 단어를 고르세요.

1 My right arm (hurts / hunts) badly. 내 오른쪽 팔이 매우 아프다.

2 Becky needs a (quite / quiet) place to study. Becky는 공부할 조용한 장소가 필요하다.

3 People believe in the (power / powder) of love. 사람들은 사랑의 힘을 믿는다.

C 주어진 상자에서 알맞은 단어를 골라 문장을 완성하세요.

grass	enjoy	pain	leave

1 I have a _____ in my neck. 나는 목에 통증이 있다.

2 I _____ playing with my cat. 나는 내 고양이와 노는 것을 즐긴다.

3 Cinderella had to _____ at midnight. 신데렐라는 자정에 떠나야 했다.

4 Children are playing soccer on the _____. 아이들이 잔디밭에서 축구를 하고 있다.

정답 p. 171

D 우리말 뜻을 보고, 문장을 완성하세요.

1 They _____ each other. 그들은 서로를 껴안았다.

2 I have a _____ sister. 나는 쌍둥이 언니가 있다.

3 Please write down your _____ . 당신의 주소를 쓰세요.

4 He's a good singer with a clean _____ . 그는 깨끗한 이미지를 가진 좋은 가수이다.

5 You can't solve the _____ . 너는 그 문제를 풀 수 없다.

6 My bag was _____ of books. 내 가방은 책으로 가득 차 있었다.

7 The _____ man didn't do anything. 그 게으른 남자는 아무 일도 하지 않았다.

8 Please bring me a _____ . 저에게 신문을 가져다주세요.

9 His _____ life is _____ and happy. 그의 일상 생활은 조용하고 행복하다.

누적 테스트 Unit 21~22의 주요 단어입니다. 우리말 뜻에 맞는 영어 단어를 쓰세요.

1	새장, 우리	9	쌍둥이; 쌍둥이의
2	식물; 심다	10	풀, 잔디
3	봄	11	가득한
4	잠그다	12	즐기다
5	잡고 있다, 수용하다	13	떠나다
6	유형, 종류	14	힘
7	기다리다	15	다치게 하다, 아프다
8	꼬리	16	조용한

Unit 23

01 picture
[píktʃər]
명 그림, 사진

'사진을 찍다'라고 할 때는 take a picture라고 써요.

05 last
[lɑːst]
형 마지막의, 지난

02 early
[ə́ːrli]
부 일찍, 빨리

06 purse
[pəːrs]
명 지갑

03 wall
[wɔːl]
명 벽, 담

07 soil
[sɔil]
명 흙, 토양

04 stone
[stoun]
명 돌

08 leaf
[liːf]
명 잎

착한 용이라 다행이야.

난 무서운 용이 아니라고. 사람들이 겁먹으라고 지어낸 이야기일 뿐이야.

그럴 것 같아. 전에 picture에서 본 사나운 용하고는 모습도 달라.

응? 그런데 넌 뭘 먹고 있는 거지?

간식으로 leaf를 먹고 있어.

우적우적

✎ 단어를 쓰며 철자와 뜻을 외우세요.

09 seat
[siːt]
명 자리, 좌석

13 true
[truː]
형 사실인

10 clothes
[klouz]
명 옷

단수형인 cloth는 '천, 옷 감'이라는 뜻을 나타내요.

14 enter
[éntər]
동 들어가다

11 stand
[stænd]
동 서다, 서 있다

'앉다, 앉아 있다'라는 의 미의 sit과 함께 알아 두 세요.

15 warm
[wɔːrm]
형 따뜻한

12 step
[step]
명 걸음, 단계

16 wing
[wiŋ]
명 날개

⁰¹**picture** ⑲ 그림, 사진

Van Gogh painted this _____.
반 고흐가 이 그림을 그렸다.

I took the _____ in New York.
나는 뉴욕에서 그 사진을 찍었다.

⁰²**early** ⑭ 일찍, 빨리

I woke up _____ in the morning.
나는 아침에 일찍 일어났다.

⁰³**wall** ⑲ 벽, 담

Look at the picture on the _____.
벽에 걸린 그림을 봐라.

⁰⁴**stone** ⑲ 돌

The house is built of _____.
그 집은 돌로 지어졌다.

⁰⁵**last** ⑬ 마지막의, 지난

I caught the _____ train home.
나는 집으로 가는 마지막 기차를 탔다.

What did you do _____ Sunday?
너는 지난 일요일에 무엇을 했니?

⁰⁶**purse** ⑲ 지갑

My mom took coins out of her _____.
어머니는 지갑에서 동전을 꺼내셨다.

⁰⁷**soil** ⑲ 흙, 토양

The _____ here is good
for growing rice. 이곳의 흙은 쌀을 재배하기에 좋다.

⁰⁸**leaf**
- leaves
⑲ 잎

The trees are coming into _____.
그 나무들은 잎이 나기 시작한다.

09 seat
(명) 자리, 좌석

There were no empty _____s on the bus.

버스에는 빈 자리가 없었다.

10 clothes
(명) 옷

My sister changed her _____ for the party.

우리 누나는 파티에 가려고 옷을 갈아입었다.

11 stand
- stood - stood

(동) 서다, 서 있다

불규칙 과거형으로 쓰세요

Cathy _____ up when the teacher arrived.

선생님이 도착하셨을 때, Cathy는 일어섰다.

12 step
(명) 걸음, 단계

I heard _____s outside.

나는 밖에서 나는 걸음 소리를 들었다.

Follow the _____s in the recipe.

요리법에 나온 단계를 따라라.

13 true
(형) 사실인

Is the story _____?

그 이야기가 사실이니?

14 enter
- entered - entered

(동) 들어가다

Knock before you _____.

들어가기 전에 노크를 해라.

15 warm
(형) 따뜻한

It is _____ today.

오늘은 날씨가 따뜻하다.

16 wing
(명) 날개

The bird's _____ was broken.

새의 날개가 부러졌다.

A 우리말은 영어로, 영어는 우리말로 쓰세요.

1 흙, 토양 _____

2 지갑 _____

3 일찍, 빨리 _____

4 마지막의, 지난 _____

5 걸음, 단계 _____

6 잎 _____

7 사실인 _____

8 따뜻한 _____

9 enter _____

10 stone _____

11 seat _____

12 wall _____

13 clothes _____

14 wing _____

15 stand _____

16 picture _____

B 괄호 안에서 알맞은 단어를 고르세요.

1 It is (warm / worm) today. 오늘은 날씨가 따뜻하다.

2 I heard (steps / stops) outside. 나는 밖에서 나는 걸음 소리를 들었다.

3 The (sale / soil) here is good for growing rice. 이곳의 흙은 쌀을 재배하기에 좋다.

C 주어진 상자에서 알맞은 단어를 골라 문장을 완성하세요.

clothes	picture	purse	leaf

1 My mom took coins out of her _____. 어머니는 지갑에서 동전을 꺼내셨다.

2 The trees are coming into _____. 그 나무들은 잎이 나기 시작한다.

3 I took the _____ in New York. 나는 뉴욕에서 그 사진을 찍었다.

4 My sister changed her _____ for the party. 우리 누나는 파티에 가려고 옷을 갈아입었다.

D 우리말 뜻을 보고, 문장을 완성하세요.

1 Is the story _____? 그 이야기가 사실이니?

2 The bird's _____ was broken. 새의 날개가 부러졌다.

3 Knock before you _____. 들어가기 전에 노크를 해라.

4 The house is built of _____. 그 집은 돌로 지어졌다.

5 I woke up _____ in the morning. 나는 아침에 **일찍** 일어났다.

6 Cathy _____ up when the teacher arrived. 선생님이 도착하셨을 때, Cathy는 일어섰다.

7 I caught the _____ train home. 나는 집으로 가는 마지막 기차를 탔다.

8 There were no empty _____ on the bus. 버스에는 빈 자리가 없었다.

9 Look at the _____ on the _____. 벽에 걸린 그림을 봐라.

누적 테스트 Unit 22~23의 주요 단어입니다. 우리말 뜻에 맞는 영어 단어를 쓰세요.

1 주소		**9** 그림, 사진	
2 이미지, 인상		**10** 벽, 담	
3 껴안다		**11** 돌	
4 게으른		**12** 마지막의, 지난	
5 신문		**13** 자리, 좌석	
6 문제		**14** 서다, 서 있다	
7 아픔, 통증		**15** 들어가다	
8 매일의, 일상적인		**16** 날개	

Unit 24

01 **message**
[mésidʒ]

명 메시지, 전갈

05 **paint**
[peint]

동 그리다

> 선으로 그릴 때는 draw,
> 물감 등으로 칠하면서 그릴
> 때는 paint를 주로 써요.

02 **hill**
[hil]

명 언덕

06 **side**
[said]

명 측면, 한쪽

03 **war**
[wɔːr]

명 전쟁

07 **smart**
[smɑːrt]

형 똑똑한

04 **magic**
[mædʒik]

명 마법, 마술

08 **stick**
[stik]

명 막대기

이제 집으로 돌아가자!

단어를 쓰며 철자와 뜻을 외우세요.

⁰⁹snake 　 ⑲ 뱀
[sneik]

¹³thumb 　 ⑲ 엄지손가락
[θʌm]

thum**b**에서 b는 소리 나지 않아요.

¹⁰storm 　 ⑲ 폭풍
[stɔːrm]

¹⁴mad 　 ⑱ 미친, 열중한
[mæd]

¹¹sure 　 ⑱ 확신하는
[ʃuər]

¹⁵watch 　 ⑧ 지켜보다 ⑲ 시계
[wɑtʃ]

¹²sweet 　 ⑱ 달콤한, 기분 좋은
[swiːt]

¹⁶weak 　 ⑱ 약한
[wiːk]

반대말은 **strong**(힘센, 강한)이에요.

01 message 　명 메시지, 전갈

Can I leave a [   ]?

제가 메시지를 남겨도 될까요?

02 hill 　명 언덕

We climbed the [   ] on foot.

우리는 걸어서 그 언덕을 올랐다.

03 war 　명 전쟁

The king did everything to win the [   ].

그 왕은 전쟁에서 이기기 위해 모든 일을 했다.

04 magic 　명 마법, 마술

Harry Potter locked the door by [   ].

Harry Potter는 마법으로 문을 잠갔다.

05 paint
- painted - painted 　동 그리다

Who [   ]ed this picture?

누가 이 그림을 그렸니?

06 side 　명 측면, 한쪽

Look on the bright [   ]!

밝은 면을 봐라!

07 smart 　형 똑똑한

David is a [   ] student.

David는 똑똑한 학생이다.

08 stick 　명 막대기

A man is holding a [   ].

한 남자가 막대기 하나를 잡고 있다.

⁰⁹ **snake** ⑲ 뱀

He was bitten by a _____.

그는 뱀에게 물렸다.

¹⁰ **storm** ⑲ 폭풍

A _____ hit the city last night.

어젯밤에 폭풍이 그 도시를 덮쳤다.

¹¹ **sure** ⑱ 확신하는

Are you _____ about that?

넌 그것을 확신하니?

¹² **sweet** ⑱ 달콤한, 기분 좋은

I want to eat something _____.

나는 달콤한 것을 먹고 싶다.

¹³ **thumb** ⑲ 엄지손가락

He smiled and raised a _____.

그는 미소를 지으며 엄지손가락을 들었다.

¹⁴ **mad** ⑱ 미친, 열중한

The noise makes me _____.

그 소음은 나를 미치게 만든다.

He is _____ about computer games.

그는 컴퓨터 게임에 열중하고 있다.

¹⁵ **watch**
- watched - watched
- watches

⑧ 지켜보다
⑲ 시계

They _____ed the sunset on the beach.

그들은 해변에서 일몰을 지켜보았다.

My _____ says five o'clock.

내 시계는 5시를 가리킨다.

¹⁶ **weak** ⑱ 약한

My grandma has a _____ heart.

우리 할머니는 심장이 약하시다.

A 우리말은 영어로, 영어는 우리말로 쓰세요.

1	메시지, 전갈		9	paint
2	측면, 한쪽		10	snake
3	폭풍		11	sure
4	마법, 마술		12	hill
5	막대기		13	mad
6	달콤한, 기분 좋은		14	smart
7	전쟁		15	thumb
8	지켜보다; 시계		16	weak

B 괄호 안에서 알맞은 단어를 고르세요.

1 Are you (sore / sure) about that? 넌 그것을 확신하니?

2 Look on the bright (side / seed)! 밝은 면을 봐!

3 A man is holding a (stick / stock). 한 남자가 막대기 하나를 잡고 있다.

C 주어진 상자에서 알맞은 단어를 골라 문장을 완성하세요.

magic   thumb   hill   storm

1 He smiled and raised a _____ . 그는 미소를 지으며 엄지손가락을 들었다.

2 We climbed the _____ on foot. 우리는 걸어서 그 언덕을 올랐다.

3 Harry Potter locked the door by _____ . Harry Potter는 마법으로 문을 잠갔다.

4 A _____ hit the city last night. 어젯밤에 폭풍이 그 도시를 덮쳤다.

정답 p. 171

D 우리말 뜻을 보고, 문장을 완성하세요.

1 Who _____ this picture? 누가 이 그림을 그렸니?

2 David is a _____ student. David는 똑똑한 학생이다.

3 Can I leave a _____ ? 제가 메시지를 남겨도 될까요?

4 My grandma has a _____ heart. 우리 할머니는 심장이 약하시다.

5 They _____ the sunset on the beach. 그들은 해변에서 일몰을 지켜보았다.

6 The noise makes me _____ . 그 소음은 나를 미치게 만든다.

7 I want to eat something _____ . 나는 달콤한 것을 먹고 싶다.

8 He was bitten by a _____ . 그는 뱀에게 물렸다.

9 The king did everything to win the _____ . 그 왕은 전쟁에서 이기기 위해 모든 일을 했다.

누적 테스트 Unit 23~24의 주요 단어입니다. 우리말 뜻에 맞는 영어 단어를 쓰세요.

1	일찍, 빨리	9	언덕
2	지갑	10	그리다
3	흙, 토양	11	똑똑한
4	잎	12	뱀
5	옷	13	확신하는
6	걸음, 단계	14	엄지손가락
7	사실인	15	미친, 열중한
8	따뜻한	16	약한

Wherever you go, go with all your heart.
_Confucius

Appendices

부록

정답 | 어휘 목록

Answers 정답

Unit 01 Step 3 학습한 단어 확인하기 pp. 12~13

A
1 class
2 easy
3 meet
4 hard
5 begin
6 family
7 dream
8 clean
9 목표
10 질문
11 자라다, 기르다
12 묻다
13 작은, 적은
14 직업, 일
15 말하다
16 빠른; 빨리

B
1 family
2 small
3 job

C
1 begins
2 ask
3 talked
4 grow

D
1 class
2 easy
3 question
4 clean
5 dream
6 fast
7 hard
8 meet
9 goal

누적 테스트
1 ask
2 family
3 class
4 clean
5 easy
6 begin
7 fast
8 grow
9 dream
10 hard
11 goal
12 meet
13 question
14 small
15 job
16 talk

Unit 02 Step 3 학습한 단어 확인하기 pp. 18~19

A
1 eat
2 animal
3 read
4 like
5 friend
6 short
7 word
8 happy
9 바쁜
10 움직이다
11 듣다
12 어두운
13 가입하다, 함께 하다
14 열다; 열린
15 추운, 차가운
16 마른, 건조한

B
1 like
2 word
3 hear

C
1 eat
2 dark
3 animal
4 busy

D
1 happy
2 friend
3 cold
4 short
5 moved
6 dry
7 open
8 joined
9 read

누적 테스트
1 ask
2 family
3 begin
4 grow
5 dream
6 goal
7 meet
8 question
9 animal
10 busy
11 eat
12 cold
13 hear
14 move
15 read
16 short

Unit 03 Step 3 학습한 단어 확인하기 pp. 24~25

A
1 adult
2 cook
3 hour
4 knife
5 safe
6 say
7 study
8 club
9 사다
10 부유한
11 부르다, 전화하다
12 은행
13 그만두다, 멈추다
14 문, 입구
15 걷다; 산책
16 물

B
1 stopped
2 hour
3 cooked

C
1 gate
2 walk
3 water
4 knife

D
1 said
2 called
3 study
4 club
5 buy
6 adult
7 safe
8 bank
9 rich, bought

누적 테스트
1 happy
2 like
3 dry
4 friend
9 bank
10 call
11 hour
12 study

5 join	13 buy
6 dark	14 cook
7 open	15 safe
8 word	16 say

8 east	16 얼굴

B
1 east	3 basketball
2 daughters	

C
1 race	3 bike
2 angel	4 score

D
1 Heat	6 face
2 handed	7 soccer
3 city	8 weeks
4 sister	9 sister, pretty
5 jumped	

Unit 04 Step 3 학습한 단어 확인하기 pp. 30~31

A
1 fruit	9 의사
2 meat	10 탑
3 oil	11 편지
4 coin	12 (빵 등을) 굽다
5 dance	13 떨어지다
6 lunch	14 치다, 때리다
7 food	15 뜨다, 오르다
8 sand	16 이야기

B
1 story	3 meat
2 oil	

C
1 baked	3 rises
2 hit	4 fall

D
1 doctor	6 letter
2 lunch	7 Fruit
3 dance	8 sand
4 food	9 coins
5 Tower	

누적 테스트
1 adult	9 dance
2 water	10 fruit
3 gate	11 fall
4 knife	12 tower
5 club	13 hit
6 stop	14 meat
7 rich	15 rise
8 walk	16 story

누적 테스트
1 bake	9 soccer
2 doctor	10 score
3 food	11 face
4 oil	12 hand
5 lunch	13 jump
6 letter	14 pretty
7 coin	15 heat
8 sand	16 angel

Unit 06 Step 3 학습한 단어 확인하기 pp. 44~45

A
1 baseball	9 고모, 이모, 숙모
2 queen	10 강
3 child	11 마스크, 가면
4 see	12 앉다
5 teach	13 일하다; 일
6 flower	14 말하다, 이야기하다
7 rain	15 농장
8 wife	16 장난감

B
1 aunt	3 mask
2 rain	

C
1 baseball	3 farm
2 toys	4 wife

D
1 speak	6 works
2 sit	7 see
3 flowers	8 river
4 queen	9 taught
5 child	

Unit 05 Step 3 학습한 단어 확인하기 pp. 38~39

A
1 basketball	9 예쁜, 귀여운
2 city	10 주, 일주일
3 jump	11 점수, 득점
4 hand	12 축구
5 bike	13 경주, 레이스
6 angel	14 언니, 누나, 여동생
7 heat	15 딸

누적 테스트
1 basketball	9 aunt
2 city	10 work
3 daughter	11 farm

4	east	12	flower
5	sister	13	rain
6	bike	14	see
7	race	15	teach
8	week	16	wife

Unit 07 Step 3 학습한 단어 확인하기 pp. 50~51

A
1	park	9	선물
2	fire	10	높은; 높이
3	love	11	애완동물
4	soft	12	타다
5	meal	13	배, 선박
6	art	14	호수
7	cheap	15	목욕
8	wind	16	시험

B
1	high	3	ship
2	cheap		

C
1	fire	3	gift
2	lake	4	examination

D
1	love	6	park
2	bath	7	wind
3	pet	8	meals
4	Art	9	rides, park
5	soft		

누적 테스트
1	baseball	9	art
2	child	10	cheap
3	queen	11	gift
4	mask	12	soft
5	river	13	lake
6	sit	14	meal
7	speak	15	ride
8	toy	16	ship

Unit 08 Step 3 학습한 단어 확인하기 pp. 56~57

A
1	date	9	많은, 위대한
2	glass	10	노래하다
3	sport	11	시원한, 서늘한
4	swim	12	옳은, 오른쪽의
5	shoulder	13	뜨거운, 매운
6	west	14	해, 1년
7	hero	15	(선으로) 그리다

8	pool	16	달, 월

B
1	great	3	glass
2	sport		

C
1	hero	3	pool
2	date	4	month

D
1	sing	6	cool
2	drew	7	west
3	shoulder	8	hot
4	swim	9	year
5	right		

누적 테스트
1	bath	9	draw
2	examination	10	cool
3	fire	11	west
4	high	12	right
5	love	13	hero
6	park	14	great
7	pet	15	pool
8	wind	16	year

Unit 09 Step 3 학습한 단어 확인하기 pp. 64~65

A
1	cute	9	실패하다, (시험에) 떨어지다
2	monkey	10	대답; 대답하다
3	nurse	11	달
4	snow	12	수학
5	dish	13	뚱뚱한, 살찐
6	jacket	14	장소
7	kid	15	삼촌, 고모부, 이모부
8	land	16	안개

B
1	kid	3	fat
2	moon		

C
1	dishes	3	fog
2	nurse	4	land

D
1	snow	6	math
2	cute	7	failed
3	answer	8	monkey
4	jacket	9	place, kids
5	uncle		

누적 테스트
1	shoulder	9	answer
2	glass	10	fat
3	sing	11	fog

	4 hot		12 cute
	5 date		13 math
	6 sport		14 monkey
	7 swim		15 place
	8 month		16 dish

Unit 10 Step 3 학습한 단어 확인하기 pp. 70~71

A
1 sock	9 소금
2 guitar	10 토끼
3 crop	11 느린; 속도를 줄이다
4 sad	12 쥐, 생쥐
5 picnic	13 죽이다
6 sea	14 남쪽
7 sugar	15 쌀
8 become	16 북쪽

B
1 socks	3 rice
2 sugar	

C
1 salt	3 sea
2 mouse	4 rabbit

D
1 became	6 north
2 slow	7 south
3 sad	8 kill
4 guitar	9 Rice, crop
5 picnic	

누적 테스트
1 nurse	9 kill
2 snow	10 mouse
3 jacket	11 rice
4 kid	12 rabbit
5 fail	13 sea
6 moon	14 salt
7 land	15 slow
8 uncle	16 north

Unit 11 Step 3 학습한 단어 확인하기 pp. 76~77

A
1 next	9 나무, 숲
2 winter	10 취미
3 movie	11 (바람이) 불다
4 gold	12 화난
5 chicken	13 구성원, 회원
6 roof	14 울다, 외치다
7 drink	15 메모, 쪽지

	8 summer		16 유령, 귀신
B	1 movies		3 wood
	2 hobby		
C	1 ghosts		3 note
	2 gold		4 chickens
D	1 cry		6 member
	2 next		7 summer
	3 drink		8 roof
	4 winter		9 angry
	5 blowing		

누적 테스트
1 picnic	9 note
2 guitar	10 summer
3 sugar	11 wood
4 sad	12 angry
5 crop	13 ghost
6 become	14 cry
7 sock	15 hobby
8 south	16 member

Unit 12 Step 3 학습한 단어 확인하기 pp. 82~83

A
1 wild	9 …시
2 couple	10 숙제
3 poor	11 끝; 끝나다
4 help	12 만들다
5 arrive	13 사실
6 ill	14 기쁜, 반가운
7 group	15 휴식; 휴식을 취하다
8 money	16 형, 오빠, 남동생

B
1 end	3 brother
2 glad	

C
1 ill	3 wild
2 made	4 helped

D
1 couple	6 rest
2 o'clock	7 arrive
3 Money	8 group
4 fact	9 helped poor
5 homework	

누적 테스트
1 roof	9 brother
2 winter	10 end
3 next	11 fact

4	blow	12	glad
5	drink	13	homework
6	gold	14	ill
7	chicken	15	wild
8	movie	16	poor

Unit 13 Step 3 학습한 단어 확인하기 pp. 90~91

A
1	start	9	세계, 세상
2	finish	10	시간, 때
3	smile	11	같은
4	color	12	길, 방법
5	sick	13	뇌, 머리
6	restaurant	14	확인하다
7	beautiful	15	더하다, 추가하다
8	strong	16	떨어뜨리다, 떨어지다

B
1	world	3	color
2	way		

C
1	started	3	same
2	beautiful	4	dropped

D
1	Time	6	check
2	sick	7	Add
3	brain	8	finish
4	restaurant	9	beautiful smile
5	strong		

누적 테스트
1	arrive	9	brain
2	couple	10	smile
3	group	11	same
4	money	12	strong
5	make	13	check
6	help	14	start
7	o'clock	15	time
8	rest	16	world

Unit 14 Step 3 학습한 단어 확인하기 pp. 96~97

A
1	today	9	보다
2	double	10	자다; 잠
3	number	11	잡다
4	paper	12	그리워하다, 놓치다
5	shoe	13	발명하다
6	drive	14	짖다
7	life	15	주다

8	store	16	팔다

B
1	store	3	give
2	miss		

C
1	invented	3	drove
2	sleep	4	barks

D
1	shoes	6	Look
2	Catch	7	paper
3	double	8	life
4	number	9	sell, store
5	Today		

누적 테스트
1	beautiful	9	catch
2	color	10	drive
3	sick	11	invent
4	drop	12	look
5	restaurant	13	sell
6	finish	14	sleep
7	way	15	miss
8	add	16	bark

Unit 15 Step 3 학습한 단어 확인하기 pp. 102~103

A
1	hungry	9	사람들
2	knee	10	한가운데
3	music	11	바구니
4	use	12	반, 절반
5	police	13	깊은
6	live	14	해변
7	tomorrow	15	계절
8	event	16	보내다

B
1	hungry	3	event
2	lived		

C
1	music	3	knee
2	basket	4	police

D
1	half	6	season
2	tomorrow	7	send
3	people	8	uses
4	beach	9	middle
5	deep		

누적 테스트
1	double	9	basket
2	give	10	beach
3	today	11	event
4	life	12	half

5 shoe	13 middle
6 store	14 music
7 number	15 season
8 paper	16 tomorrow

Unit 16 Step 3 학습한 단어 확인하기 pp. 108~109

A
1 learn
2 young
3 show
4 earth
5 yesterday
6 plan
7 garden
8 stamp
9 단 하나의, 혼자의
10 온화한, 부드러운
11 길, 도로
12 창문
13 말하다
14 필요하다
15 피부
16 거리

B
1 need
2 stamps
3 tell

C
1 garden
2 window
3 earth
4 street

D
1 mild
2 showed
3 learn
4 single
5 young
6 Yesterday
7 skin
8 plan
9 road

누적 테스트
1 use	9 skin
2 deep	10 street
3 hungry	11 need
4 knee	12 road
5 live	13 single
6 people	14 stamp
7 send	15 yesterday
8 police	16 young

Unit 17 Step 3 학습한 단어 확인하기 pp. 116~117

A
1 health
2 believe
3 dead
4 hospital
5 brave
6 laugh
7 floor
8 prince
9 덮다, 가리다
10 농담
11 기초, 맨 아래 부분
12 소리, 소음
13 미래
14 체육관
15 듣다
16 나르다, 휴대하다

B
1 joke
2 dead
3 noise

C
1 listen
2 prince
3 gym
4 carry

D
1 floor
2 believed
3 health
4 future
5 covered
6 base
7 hospital
8 jokes, laugh
9 brave

누적 테스트
1 earth	9 base
2 learn	10 carry
3 plan	11 future
4 show	12 cover
5 garden	13 gym
6 mild	14 dead
7 tell	15 laugh
8 window	16 noise

Unit 18 Step 3 학습한 단어 확인하기 pp. 122~123

A
1 science
2 lesson
3 write
4 invite
5 dirty
6 climb
7 visit
8 fun
9 돌다, 돌리다
10 하이킹, 도보 여행
11 현명한, 지혜로운
12 머무르다
13 손톱, 발톱
14 밝은, 똑똑한
15 지나가다, 합격하다
16 작은, 어린

B
1 passed
2 science
3 little

C
1 hike
2 turns
3 nails
4 stay

D
1 fun
2 wise
3 lesson
4 bright
5 climb
6 dirty
7 visited
8 little, write
9 invite

누적 테스트
1 prince	9 bright
2 believe	10 little
3 brave	11 turn
4 floor	12 lesson
5 health	13 nail

	6 hospital		14 stay
	7 joke		15 wise
	8 listen		16 write

Unit 19 Step 3 학습한 단어 확인하기 pp. 128~129

A
1	heaven	9	불에 타다
2	diary	10	탄생, 출생
3	corner	11	인간의
4	clear	12	찾다, 발견하다
5	glove	13	소중한, …에게
6	light	14	빌리다
7	ground	15	빌려주다
8	part	16	(고개를) 끄덕이다

B
1	human	3	found
2	part		

C
1	birth	3	light
2	ground	4	gloves

D
1	burned[burnt]	6	nodded
2	heaven	7	dear
3	clear	8	borrow
4	corner	9	diary
5	lend		

누적 테스트

1	climb	9	human
2	fun	10	burn
3	hike	11	find
4	dirty	12	dear
5	pass	13	glove
6	science	14	heaven
7	invite	15	lend
8	visit	16	light

Unit 20 Step 3 학습한 단어 확인하기 pp. 134~135

A
1	grade	9	날다, 비행하다
2	bridge	10	친절한
3	lucky	11	과거
4	calm	12	가까운; 닫다
5	low	13	알다
6	husband	14	시내에
7	fight	15	입고 있다
8	mix	16	죽다

B
1	know	3	Mix

	2 died		

C
1	low	3	fly
2	wearing	4	fighting

D
1	downtown	6	kind
2	calm	7	lucky
3	grade	8	husband
4	past	9	bridge
5	closes		

누적 테스트

1	birth	9	bridge
2	clear	10	close
3	corner	11	die
4	diary	12	fly
5	ground	13	lucky
6	borrow	14	kind
7	nod	15	low
8	part	16	past

Unit 21 Step 3 학습한 단어 확인하기 pp. 142~143

A
1	clock	9	항해하다
2	plant	10	꼬리
3	spring	11	뼈
4	hold	12	씨, 씨앗
5	stair	13	묶다
6	type	14	뛰어들다, 다이빙하다
7	lock	15	새장, 우리
8	wait	16	씻다

B
1	clock	3	seeds
2	Wash		

C
1	plants	3	wait
2	tail	4	tie

D
1	lock	6	sailing
2	dived	7	hold
3	stairs	8	bones
4	types	9	plants, spring
5	cage		

누적 테스트

1	calm	9	bone
2	know	10	wash
3	fight	11	sail
4	downtown	12	clock
5	wear	13	seed
6	husband	14	stair

| 7 mix | 15 dive |
| 8 grade | 16 tie |

Unit 22 Step 3 학습한 단어 확인하기   pp. 148~149

A
1 address	9 쌍둥이; 쌍둥이의
2 hug	10 떠나다
3 full	11 즐기다
4 lazy	12 다치게 하다, 아프다
5 newspaper	13 풀, 잔디
6 image	14 문제
7 pain	15 조용한
8 power	16 매일의, 일상적인

B
| 1 hurts | 3 power |
| 2 quiet | |

C
| 1 pain | 3 leave |
| 2 enjoy | 4 grass |

D
1 hugged	6 full
2 twin	7 lazy
3 address	8 newspaper
4 image	9 daily, quiet
5 problem	

누적 테스트
1 cage	9 twin
2 plant	10 grass
3 spring	11 full
4 lock	12 enjoy
5 hold	13 leave
6 type	14 power
7 wait	15 hurt
8 tail	16 quiet

Unit 23 Step 3 학습한 단어 확인하기   pp. 154~155

A
1 soil	9 들어가다
2 purse	10 돌
3 early	11 자리, 좌석
4 last	12 벽, 담
5 step	13 옷
6 leaf	14 날개
7 true	15 서다, 서 있다
8 warm	16 그림, 사진

B
| 1 warm | 3 soil |
| 2 steps | |

C
| 1 purse | 3 picture |

| 2 leaf | 4 clothes |

D
1 true	6 stood
2 wing	7 last
3 enter	8 seats
4 stone	9 picture, wall
5 early	

누적 테스트
1 address	9 picture
2 image	10 wall
3 hug	11 stone
4 lazy	12 last
5 newspaper	13 seat
6 problem	14 stand
7 pain	15 enter
8 daily	16 wing

Unit 24 Step 3 학습한 단어 확인하기   pp. 160~161

A
1 message	9 그리다
2 side	10 뱀
3 storm	11 확신하는
4 magic	12 언덕
5 stick	13 미친, 열중한
6 sweet	14 똑똑한
7 war	15 엄지손가락
8 watch	16 약한

B
| 1 sure | 3 stick |
| 2 side | |

C
| 1 thumb | 3 magic |
| 2 hill | 4 storm |

D
1 painted	6 mad
2 smart	7 sweet
3 message	8 snake
4 weak	9 war
5 watched	

누적 테스트
1 early	9 hill
2 purse	10 paint
3 soil	11 smart
4 leaf	12 snake
5 clothes	13 sure
6 step	14 thumb
7 true	15 mad
8 warm	16 weak

Index 어휘 목록